ARCHIVES DES LETTRES MODERNES

collection fondée et dirigée par Michel MINARD

258

JACQUES VOISINE

Trois *Amphitryon*
(Kleist, Henzen, Giraudoux)

... et un *Jupiter*
(Otokar Fischer)
[traduit par Hana JECHOVA-VOISINE *et* Jacques VOISINE]

PARIS — LETTRES MODERNES — 1993

À l'intérieur d'un même paragraphe, les séries continues de références à une même source sont allégées du sigle commun initial et réduites à la seule numérotation ; par ailleurs les références consécutives identiques ne sont pas répétées à l'intérieur de ce paragraphe.

Toute citation formellement textuelle (avec sa référence) se présente soit hors texte, en caractère romain compact, soit dans le corps du texte en *italique* entre guillemets, les soulignés du texte d'origine étant rendus par l'alternance romain/*italique* ; mais seuls les mots en PETITES CAPITALES y sont soulignés par l'auteur de l'étude. Le signe * devant une séquence atteste l'écart typographique (*italiques* isolées du contexte non cité, PETITES CAPITALES propres au texte cité, interférences possibles avec des sigles de l'étude) ou donne une redistribution *|entre deux barres verticales| d'une forme de texte non avérée, soit à l'état typographique (calligrammes, rébus, montage, découpage, dialogues de films, émissions radiophoniques...), soit à l'état manuscrit (forme en attente, alternative, options non résolues...).

PRODUIT EN FRANCE
ISBN 2-256-90451-2

1000406629

INTRODUCTION

QUAND les « Archives des Lettres Modernes » publiaient en 1961 le texte aujourd'hui épuisé de mes *Trois Amphitryon modernes*, j'étais loin de soupçonner l'existence d'un autre « Amphitryon », qui, inspiré de Molière comme celui de Kleist, anticipait curieusement, dix ans à l'avance, sur celui de Giraudoux. Je suis reconnaissant aux éditions des Lettres Modernes de bien vouloir aujourd'hui transformer le trio en quatuor en faisant connaître un *Jupiter* pragois écrit en 1918, et resté inconnu même en Tchéco-Slovaquie, car il n'a été publié, quasi confidentiellement, que cinquante ans plus tard, et n'est pas dans le commerce.

Les circonstances de la composition de l'œuvre tchèque et de sa redécouverte en 1991 seront exposées plus loin.

Les quatre pièces étudiées ou présentées ici constituent un ensemble. Le *Jupiter* d'Otokar Fischer, « comédie d'après Molière » comme l'était l'*Amphitryon* de Kleist, et comme le médiocre remaniement par Henzen de la pièce de Kleist, est, avant la lettre, étonnamment giralducien par l'esprit dans lequel sont traités les rapports entre dieux et hommes. Il va sans dire que Giraudoux — qui d'ailleurs ne s'inspire de Molière que de façon très lointaine — ignorait non seulement l'existence de la petite pièce de Fischer, mais même, vraisemblablement, celle de l'auteur.

Depuis ces *Trois Amphitryon modernes* de 1961, ont paru,

avec bien d'autres études sur Giraudoux et aussi sur Kleist, l'important *Giraudoux et l'Allemagne* (1975) de Jacques Body[1], et plus récemment la première traduction française complète, par H. A. Baartsch (1986) de l'*Amphitryon* de Kleist[2].

Ma traduction partielle, limitée aux scènes dans lesquelles Kleist s'écarte de Molière, ne me semble pour autant nullement périmée. C'est d'ailleurs cette traduction qu'utilise Jacques Body dans les citations qu'il donne de la pièce de Kleist. Ses recherches ont de plus confirmé mon hypothèse sur le rôle d'intermédiaire joué par Henzen entre Kleist et Giraudoux : un exemplaire de l'édition Reclam du Kleist remanié par Henzen figure dans la bibliothèque personnelle de l'auteur français conservée à Bellac dans sa maison natale (p. 309, n. 1[1]).

1. Jacques BODY, *Giraudoux et l'Allemagne* (Paris, Didier, 1975).
2. Heinrich VON KLEIST, *Amphitryon*, traduit en français par H. A. BAARTSCH (Paris, Actes Sud, 1986).

I

L'*AMPHITRYON* DE KLEIST

L'INTÉRÊT qu'a toujours manifesté Giraudoux pour l'Allemagne et sa littérature, a incité les critiques à comparer son *Amphitryon 38* à la pièce composée sur le même sujet par Heinrich von Kleist (1807) et à apprécier la part qui revient au poète allemand dans la nouvelle orientation donnée à ce vieux thème par Giraudoux.

C'est Kleist en effet qui, après Molière, l'avait renouvelé, en le ramenant au tragique de ses origines grecques, en donnant le premier, pourrait-on dire, une « Alcmène » après tant d'« Amphitryon ». Parler ici d'influence, il est vrai, tient du paradoxe : quoi de plus éloigné du tragique discret, voilé d'ironie souriante, où se complaît Giraudoux, de sa poétique sagesse bourgeoise à la La Fontaine — que les angoisses sauvages et le mysticisme trouble de Kleist ? Il n'est pas étonnant que le bilan d'une comparaison entre les deux textes, une fois constatée la commune mise en valeur du personnage d'Alcmène, et par voie de conséquence l'intériorisation de l'action, fasse surtout ressortir des différences[3]. Mais une telle compa-

3. Avant le *Giraudoux et l'Allemagne* de Jacques Body (*op. cit.* [n. 1]), l'étude la plus complète est celle de J.-J. ANSTETT dans *Les Langues modernes*, août–octobre 1948. La question a été reprise par H. JACOBI, *Amphitryon in Deutschland und Frankreich* (Zurich, 1952), et par Orjan LINDBERGER, *The Transformations of Amphitryon* (Stockholm, s.d. [1956]).

raison reste insuffisante, en ce qu'elle omet une donnée du problème qui n'a pas été présentée jusqu'ici : dans quels textes Giraudoux a-t-il lu l'*Amphitryon* de Kleist ?

Il est désormais possible à un lecteur ignorant l'allemand de se faire une idée de l'originalité de Kleist par rapport à Molière qu'il déclare imiter.

Les pages qu'on va lire ont pour objet, d'abord de présenter en français les scènes caractéristiques de l'*Amphitryon* de Kleist, puis de montrer que l'auteur d'*Amphitryon 38*, en admettant qu'il ait lu dans son texte authentique la pièce allemande, a aussi tiré parti d'un remaniement que venait d'en tirer un médiocre dramaturge au moment où le jeune Jean Giraudoux, fraîchement licencié d'allemand, faisait son premier séjour outre-Rhin[4].

*

Offrant jadis au public français des extraits du théâtre de Kleist, Isaac Rouge excluait de ses traductions l'*Amphitryon*, tout en concédant que « Kleist a enrichi la comédie de Molière de véritables beautés poétiques », et déclarait sans ambages :

> On peut trouver plus artificiel et choquant que profond et émouvant cet érotisme à prétention métaphysique et à verbiage religieux, dont le premier romantique allemand a instauré la tradition dans les littératures modernes.[5]

4. Mon attention a été attirée sur le remaniement de Henzen par l'excellent article, malheureusement difficilement accessible, de Maria ANFOSSI, « Anfitrione classico, prezioso, romantico » [Plaute, Molière, Kleist — l'article est antérieur à la publication de la pièce de Giraudoux], *Annali dell'Istituto superiore di Magistero del Piemonte*, vol. III, 1929, pp. 133–89.

5. « Les Cent Chefs-d'œuvre étrangers » : *H. von Kleist*. Notice et traductions par Isaac ROUGE, Professeur à la Sorbonne (Paris, La Renaissance du Livre, s.d.), pp. 13 et 11. On pourra comparer avec le jugement de Benedetto CROCE, vers le même temps, dans *Poesia e non poesia*, et celui, plus récent et plus favorable, de Thomas MANN dans *Adel des Geistes* (Stockolm, 1945), Goethe, jugeant en classique, s'exprimait déjà sévèrement dans son *Journal*, à la date du 12 juillet 1807.

Plus éclectique en matière de goût, un Français de 1993 atténuera peut-être (ce n'est pas sûr) la sévérité d'un jugement porté peu après la fin de la première guerre mondiale sur un des premiers chantres du nationalisme prussien. Mais le problème n'est pas là. Que pouvait trouver de neuf et d'exploitable, dans l'*Amphitryon* de Kleist un lecteur de Molière comme Giraudoux?[6]

Familier de bonne heure avec la culture française, Kleist est parti de l'idée d'une simple traduction de Molière, et intitule sa pièce, lors de la publication, « comédie d'après Molière », bien que l'introduction de nombreux traits, et surtout de scènes entières dans lesquelles Alcmène joue le rôle essentiel, ait réduit la proportion du comique et éliminé à peu près complètement le ton de Molière. Les seules scènes effectivement traduites — dans une couleur souvent différente — sont celles entre Sosie et Mercure. On trouvera ci-dessous les scènes de son invention, dont une d'un comique original entre Sosie et Charis (la Cléanthis de Molière).

Ce qui dut l'attirer vers ce sujet, c'est le dédoublement de la personnalité qui lui est inhérent, motif cher au Romantisme allemand. La confusion intérieure dont est victime Alcmène se retrouve chez l'héroïne de *Die Marquise von O...* ; et deux autres nouvelles, *Michael Kohlhaas* et *les Fiançailles à St Domingue*, présentent un personnage déchiré entre deux loyautés. Le dédoublement matériel par le procédé du *Doppelgänger* se renforce dans *Amphitryon* de la conscience douloureuse d'un dualisme intérieur entre les deux natures de l'homme, sensuelle et spirituelle. Cette « comédie d'après Molière » prend d'autant plus l'aspect d'une tragédie de l'inquiétude,

---

6. Le point de vue limité adopté ici exclut d'une part l'étude des mérites de Kleist comme traducteur de Molière, celle des sources secondaires de sa pièce (il doit plus que ne l'admettent généralement ses critiques à l'*Amphitryon* de Falk, 1803) ; d'autre part l'étude des sources non germaniques d'*Amphitryon 38*.

que l'auteur y fait entrer ses propres angoisses, sa hantise de la mort (il se suicidera quatre ans plus tard à l'âge de 34 ans), sa mystique de l'honneur et de l'amour, et un syncrétisme religieux selon le goût de la science allemande du temps, doublé d'une philosophie de l'histoire imprégnée de nationalisme : Alcmène, conviée par Jupiter à s'élever jusqu'à un panthéisme naturaliste, s'applique à elle-même le terme chrétien de « pécheresse » (*Sünderin*) ; en même temps l'auteur a conscience d'opposer aux Grecs de convention du théâtre français classique, aux Grecs petits-maîtres à talons rouges que, bien avant Lessing, nous reprochait déjà Dryden, une Grecque « authentique » qui est aussi une incarnation des vertus de l'épouse allemande.

La structure de sa pièce reproduit extérieurement celle de l'*Amphitryon* de Molière, à la suppression près du Prologue. Peu de différences apparentes au premier Acte. C'est au second qu'une scène supplémentaire (II, 4) entre Alcmène et Charis précède la deuxième entrevue, très longue ici, et cruelle, pour ne pas dire sadique — véritable viol d'une âme — au cours de laquelle le Dieu, sans quitter son déguisement, révèle plus qu'à demi à Alcmène son identité. L'acte s'achève sur une trouvaille comique, sorte de parodie de cette révélation, dont fait les frais un Sosie heureusement germanisé, pris malgré lui pour un dieu. Le très long troisième Acte se termine par un dénouement original (sc. 10 et 11) où Jupiter, après avoir fait subir à Amphitryon les tortures mentales infligées précédemment à Alcmène, réconcilie les deux époux, et, sur la demande d'Amphitryon, leur promet un fils qui se couvrira de gloire (mais dont rien n'indique qu'il soit né de Jupiter). Réconciliation de fait, qui n'apporte pas l'apaisement dans l'âme d'Alcmène, désormais ravagée par l'inoubliable nostalgie du divin.

AMPHITRYON *

Comédie d'après Molière

(1807)

Personnages:

JUPITER, sous la figure d'Amphitryon.
MERCURE, sous la figure de Sosie.
AMPHITRYON, général thébain.
SOSIE, son serviteur.
ALCMENE, épouse d'Amphitryon.
CHARIS, épouse de Sosie.
GENERAUX.
La scène est à Thèbes, devant le palais d'Amphitryon.

ACTE PREMIER

sc. 1re. — De nuit, entre Sosie avec une lanterne
(monologue imité de Molière, *Amphitryon*, I,1).
sc. 2. - sc. 3. — Mercure, sous la figure de Sosie, Sosie
(imité de Plaute et de Molière, *ibid.*, I,2).
sc. 4. — Jupiter, sous la figure d'Amphitryon, Alcmène, Charis,
Mercure. Porteurs de flambeaux
(cf. Molière, I,3).
sc. 5. — Mercure, Charis
(cf. Molière, I,4).

ACTE II

sc. 1re. — Amphitryon, Sosie
(cf. Molière, II,1).
sc. 2. — Les mêmes, Alcmène, Charis
(cf. Molière, II,2).
sc. 3. — Charis, Sosie
(cf. Molière, II,3).

(*) J'exprime mes sincères remerciements à mon ancien collègue de la Faculté des Lettres de Lille, M. R. GERARD, qui a revu cette traduction, établie par un groupe d'étudiants de Littérature comparée.

Acte II, Scène 4

ALCMENE, CHARIS, SOSIE

ALCMENE

Que m'est-il arrivé, malheureuse que je suis ?
Que m'est-il advenu, dis ? Vois ce joyau.

CHARIS

Quel est ce joyau, ma princesse ?

ALCMENE

C'est le diadème de Labdakus, le précieux et magnifique
cadeau d'Amphitryon, sur lequel est gravé son monogramme.

CHARIS

Cela ? Cela, le diadème de Labdakus ? Ce n'est pas là le monogramme d'Amphitryon.

ALCMENE

Infortunée, as-tu donc perdu le sens ? N'y aurait-il pas ici
un A, un grand A gravé dans l'or, qu'on pourrait lire avec le doigt ?

CHARIS

Certes non, chère princesse ; vous rêvez ! Il y a là autre chose.
C'est une initiale étrangère. C'est un J.

ALCMENE

Un J ?

CHARIS

Un J. Sans erreur possible.

ALCMENE

Alors malheur à moi ! Malheur à moi ! Je suis perdue !

CHARIS

Qu'est-ce donc, dites-moi, qui vous émeut ainsi ?

ALCMENE

Comment trouver des mots, ma Charis, pour t'expliquer l'inex-
plicable ? Alors que bouleversée je regagne ma chambre, sans
savoir si je suis éveillée ou si je rêve, sous le coup de cette folle
et téméraire affirmation, « C'est un autre qui m'est apparu ! » ;

10

— alors que je médite pourtant la douleur poignante d'Amphitryon, et ses derniers mots : il va appeler mon frère, songes-y, mon propre frère, en témoignage contre moi ! — alors que je me demande « T'es-tu trompée ? » (car il faut bien que l'un de nous soit dupe d'une erreur : ni lui ni moi ne sommes capables de perfidie) ; — alors que cette plaisanterie équivoque hante ma mémoire (mon bien-aimé Amphitryon, je ne sais si tu l'entendis, insultait en Amphitryon l'époux); — comme alors l'effroi, l'épouvante, me saisissent, et que tous mes sens m'abandonnent perfidement, — je saisis, ô mon amie, ce joyau, ce gage entre tous cher et inestimable, qui témoigne pour moi de façon infaillible. Je le saisis alors, et je veux, émue, presser sur mes lèvres ravies le précieux monogramme, propre contradicteur du menteur bien-aimé : — et c'est une autre lettre, une lettre étrangère, que j'aperçois, et je reste comme frappée par la foudre... un J !

CHARIS

Horreur ! Vous seriez-vous trompée ?

LCMENE

Me tromper ! Moi !'

CHARIS

Trompée sur l'initiale, veux-je dire.

ALCMENE

Oui, sur l'initiale, veux-tu dire... C'est presque à croire.

CHARIS

Ainsi donc ?

ALCMENE

Ainsi donc... quoi ?

CHARIS

Rassurez-vous. Tout s'arrangera pour le mieux.

ALCMENE

O Charis ! Je me tromperais plutôt sur moi-même ! Je tiendrais plutôt pour un Parthe ou un Perse ce sentiment intime, sucé avec le lait maternel, et qui me dit que je suis Alcmène. Cette main est-elle mienne ? Ce sein est-il mien ? M'appartient-elle, cette image que reflète le miroir ? Et il me serait, Lui, plus étranger que moi-même ? Qu'on m'ôte l'œil, je l'entendrai; qu'on m'ôte l'oreille, je le toucherai; qu'on m'ôte le toucher, je le respirerai encore. Otez-moi la vue, l'ouïe, le toucher et l'odorat, ôtez-moi tous les sens, et laissez-moi le cœur : c'est me laisser la cloche vibrante dont j'ai besoin : au sein de tout un univers je le retrouverai !

CHARIS

Certes ! Comment pouvais-je seulement en douter, princesse ? Comment une femme pourrait-elle en pareil cas se tromper ? Dans l'obscurité, on prend un vêtement ou un objet quelconque pour un autre, mais un époux ne trompe pas notre étreinte ! D'ailleurs ne nous est-il pas apparu à tous ? Toute la domesticité n'a-t-elle pas accueilli joyeusement à la porte son arrivée ? Il faisait encore jour, et dans ces conditions il eût fallu que l'obscurité de minuit voilât des milliers d'yeux.

ALCMENE

Et pourtant cet étrange monogramme ! Pourquoi un tel chiffre étranger, alors qu'aucune lésion des sens ne prête ici à confusion, ne m'a-t-il pas frappée immédiatement ? Si je ne puis, chère Charis, distinguer ces deux noms — dis, peuvent-ils, est-ce possible, appartenir à deux princes qui seraient tout aussi difficiles à distinguer ?

CHARIS

Vous êtes bien sûre de vous, j'espère, chère princesse ?

ALCMENE

Comme de la pureté de mon âme ! Comme de mon innocence ! Il te faudrait sans cela interpréter comme une erreur de ma part cette impression qui me le fit trouver aujourd'hui plus beau que jamais. J'aurais pu le prendre pour son image, son portrait, vois-tu, de la main d'un artiste : vivant et véridique, transformé par l'art en un dieu. Il se tenait devant moi — comment dire ? comme en un rêve, et un sentiment de bonheur indicible me saisit, comme je n'en avais jamais éprouvé, quand hier vint vers moi, rayonnant, comme auréolé de gloire, le noble vainqueur de Pharissa. C'était lui, Amphitryon, le fils des Dieux ! Seulement il m'apparaissait comme l'un de ces mortels déjà élevés au rang de héros; j'aurais voulu lui demander s'il ne descendait pas tout droit des astres.

CHARIS

Imagination, princesse ! Vision de l'amour !

ALCMENE

Hélas, et cette plaisanterie équivoque, ô Charis, qui revenait sans cesse établir une distinction entre lui et Amphitryon ! Si c'était Amphitryon, auquel je me suis donnée corps et âme, pourquoi disait-il toujours n'être que l'Amant, le Voleur avide de mes charmes ? Malheur à moi qui ne fis que sourire frivolement de cette plaisanterie, si elle ne venait pas de la bouche de mon époux !

CHARIS

Ne vous torturez pas d'un doute prématuré. Amphitryon n'a-t-il pas reconnu lui-même le monogramme, quand vous lui avez montré aujourd'hui le diadème ? Certes, il y a ici méprise, chère princesse. Si ce chiffre étranger ne l'a pas déconcerté, il s'ensuit qu'il est propre au joyau. Un mirage nous a trompées, aveuglées hier, mais tout, aujourd'hui, est comme il se doit.

ALCMENE

Et s'il l'avait regardé à la hâte seulement, et si, revenant à présent avec tous les capitaines, il affirmait de nouveau, l'insensé, qu'il n'a pas encore franchi le seuil de la maison ! Non seulement serai-je alors privée de tout témoignage, mais c'est un témoin contre moi que ce joyau. Que puis-je, ainsi bouleversée, lui opposer ? Où me sauver de la détresse, échapper à la destruction, si les soupçons des capitaines confirment le témoignage du joyau ? Ne devrai-je pas avouer que cette initiale n'est pas celle du nom d'Amphitryon ? Comment nier qu'un cadeau ne peut me venir de sa part avec un monogramme étranger ? Et quand bien même je jurerais sur l'autel qu'il m'a offert lui-même hier le joyau, suis-je sûre, dis, que c'est bien aussi ce monogramme qu'hier je reçus de lui ?

CHARIS

Ressaisissez-vous. Le voici en personne. Maintenant tout va s'expliquer.

SCÈNE 5

LES MEMES, JUPITER

ALCMENE

O mon maître et époux, permets qu'à genoux je te présente ce joyau. Je dépose loyalement ma vie à tes pieds : si tu m'as donné cette pierre — considère-la bien — gravée d'un monogramme étranger, c'est avec joie que je la couvre de larmes et de baisers; mais si ce n'est pas toi qui l'as donnée, si tu la désavoues et la renies, que je sois vouée à la mort et que la nuit éternelle ensevelisse ma honte.

JUPITER

Ma femme ! Ma beauté ! Vais-je prendre cette pierre, quand un tel trésor gît à mes pieds dans la poussière ? Relève-toi. Que veux-tu ? Reprends tes sens.

ALCMENE

Les mots que j'ai prononcés avec trop d'assurance t'ont blessé; je me sentais alors innocente et forte, mais depuis que mes yeux se sont posés sur ce monogramme étranger, je veux me méfier de mon sentiment intime. Je croirai... que c'est un autre... qui m'est... apparu — si seulement ta bouche peut me l'assurer.

JUPITER

Généreuse épouse, comme tu me fais honte ! Quel mensonge s'est échappé de tes lèvres ? Comment un autre pourrait-il t'apparaître ? Qui approche de toi ? De toi dont l'âme reflète sans cesse les traits du Seul et Unique ? Tu portes, ô sainte créature, une ceinture de diamants qui te protège de toute approche. Quant au Bienheureux que tu reçois, il te congédie, lui, aussi innocente et pure, et tout ce qui t'approche est Amphitryon.

ALCMENE

O mon époux ! Peux-tu dans ta bonté me le dire : était-ce toi ? N'était-ce point toi ? Oh ! parle ! C'était toi !

JUPITER

C'était moi. Qui que ç'ait pu être. Calme-toi, calme-toi. Ce que tu as vu, ressenti, pensé, éprouvé, c'était moi. Qui serait-ce en dehors de moi, ô mon Amour ?

Qui que ce soit qui ait franchi ton seuil, c'est toujours moi, ô ma très chère, que tu as reçu; et pour chaque faveur que tu lui as accordée, c'est moi qui t'en suis redevable et qui t'en remercie.

ALCMENE

Non, mon Amphitryon, ici tu te trompes... Maintenant, adieu pour l'éternité, ô mon amour. J'étais résignée à ce coup.

JUPITER

Alcmène !

ALCMENE

Adieu ! Adieu !

JUPITER

Quelle est ta pensée ?

ALCMENE

Va-t-en ! va-t-en ! va-t-en !

JUPITER

O prunelle de mes yeux !

ALCMENE

Pars, te dis-je.

JUPITER

Ecoute-moi.

ALCMENE

Je ne veux rien entendre, je ne veux même pas vivre, si mon sein n'est plus sans crime.

JUPITER

O mon épouse adorée, que dis-tu ? Quel crime pourrais-tu commettre, créature sainte ? Quand même un démon te serait apparu hier, qu'il eût arraché aux profondeurs de l'enfer la boue du péché pour la pétrir de sa bave et t'en inonder — il n'arriverait pas à souiller de la moindre tache l'éclat du sein de mon épouse. Folle chimère !

ALCMENE

Ah ! une infâme tromperie m'a séduite !

JUPITER

C'est lui qui fut trompé, ô mon idole. C'est lui-même que dupaient ses perfides artifices, et non pas toi, non pas ton sentiment infaillible ! Quand il te croyait dans ses bras, c'est contre le sein aimé d'Amphitryon que tu reposais; quand il rêvait de baisers, tu pressais tes lèvres sur la bouche bien-aimée d'Amphitryon. Ah ! crois-moi, il porte dans sa poitrine dévorée d'amour un aiguillon que tous les artifices divins n'en pourront arracher.

ALCMENE

Ah ! Puisse Jupiter le précipiter à mes pieds ! Mon Dieu ! nous devons nous séparer à jamais.

JUPITER

Le baiser dont tu lui fis présent m'a lié à toi plus fortement que n'a jamais fait toute l'ardeur de ton amour pour moi. Et si de la succession fugitive des jours je pouvais arracher celui d'hier aussi facilement qu'on abat un passereau en plein vol, eh bien ! ma chère femme, je ne le ferais pas pour toute la béatitude de l'Olympe ni pour l'immortalité de Jupiter.

ALCMENE

Et moi, j'offrirais ma poitrine à dix morts. Va, tu ne me reverras plus chez toi. Tu ne me feras plus paraître dans la société des femmes de l'Hellade.

JUPITER

Devant toute l'assemblée des Olympiens, Alcmène ! Ah ! qu'as-tu dit ? C'est dans la troupe au complet des dieux que, parée de tout ton éclat, je t'introduirai. Et si j'étais Jupiter, lorsque tu t'approcherais de leurs rangs, Héra l'immortelle devrait se lever devant toi, et la sévère Artémis te saluer.

ALCMENE

Va, ta bonté m'accable ; laisse-moi fuir.

JUPITER

Alcmène !

ALCMENE

Laisse-moi.

JUPITER

Epouse de mon âme !

ALCMENE

Amphitryon, tu m'entends, je veux partir.

JUPITER

Crois-tu pouvoir t'arracher à ce bras ?

ALCMENE

Amphitryon, je le veux, laisse-moi.

JUPITER

Quand bien même, franchissant de lointains pays, tu rejoindrais dans ta fuite le peuple affreux du désert, je te suivrais jusqu'au bord de la mer, je te rattraperais, te prodiguerais mes baisers et mes larmes, te soulèverais dans mes bras, et triomphalement je te rapporterais jusqu'à ma couche.

ALCMENE

Eh bien donc, puisque tu le veux, voici mon serment, dont je prends à témoin toute la troupe des dieux, terribles vengeurs du parjure : « Plutôt la tombe que d'approcher vivante ce sein de ton lit ! »

JUPITER

Je brise ce serment en vertu du pouvoir que me confère ma naissance, et j'en disperse les débris à tous les vents. Ce n'est pas un mortel qui t'est apparu ; c'est Jupiter lui-même, le Dieu du tonnerre, qui t'a visitée.

ALCMENE

Qui ?

JUPITER

Jupiter.

ALCMENE

Que dis-tu, insensé ?

JUPITER

Lui, Jupiter, te dis-je.

ALCMENE

Lui, Jupiter ? Oses-tu, malheureux... ?

JUPITER

Je dis, Jupiter, et je le répète. Nul autre que lui ne t'est apparu la nuit passée.

ALCMENE

Tu accuses, tu oses accuser les dieux de l'Olympe, impie, du sacrilège qui a été commis ?

JUPITER

Est-ce là accuser de sacrilège les dieux de l'Olympe ? Etourdie, ne laisse plus échapper un tel mot de ta bouche.

ALCMENE

Ne puis-je plus prononcer un tel mot ? Ne serait-ce pas un sacrilège...

JUPITER

Tais-toi, te dis-je, je te l'ordonne.

ALCMENE

Malheureuse créature !

JUPITER

Si tu n'es pas sensible à la gloire d'accéder au rang des immortels, je le suis, moi, et tu me permettras de l'être. Si tu n'envies pas Callisto, dans toute sa splendeur, si tu n'envies pas Europe ni Léda, eh bien, je te le dis, j'envie Tyndare, moi, et souhaite avoir des fils comme les Tyndarides.

ALCMENE

Comment ? Moi, envier Callisto ? Envier Europe ? Ces femmes que vénère l'Hellade, les nobles élues de Jupiter, les habitantes du domaine éternel de l'éther ?

JUPITER

Bien sûr ! Pourquoi irais-tu les envier, toi que satisfait pleinement la gloire de voir un mortel à tes pieds !

ALCMENE

Quel langage inouï ! Comment oserais-je me livrer à de telles pensées ? Ne sombrerais-je pas devant tant d'éclat ? Et si c'était lui, ressentirais-je encore avec joie dans mon cœur les palpitations de la vie, moi qui suis indigne d'une telle grâce, moi pécheresse ?

JUPITER

Ce n'est pas à toi d'apprécier si oui ou non tu es digne de cette grâce. S'il te juge digne, accepte son jugement. Entreprends-tu, dans ta vue bornée, de le critiquer, lui qui connaît le cœur des hommes ?

ALCMENE

C'est bien, Amphitryon, je te comprends. Ta magnanimité

m'émeut jusqu'aux larmes. Je sais bien qu'en parlant ainsi tu voulais distraire mon esprit en le lançant sur une fausse piste. Mais mon âme revient à ses douloureuses pensées. Va, mon cher bien-aimé, va, mon Tout, trouve une autre femme, sois heureux et laisse-moi pleurer pour le restant de mes jours de n'avoir pas su faire ton bonheur.

JUPITER

Comme tu m'émeus, ô ma chère épouse. Vois donc cette pierre que tu tiens dans les mains.

ALCMENE

O puissances célestes, gardez-moi de l'égarement !

JUPITER

N'est-ce pas là son nom ? Et n'était-ce pas hier le mien ? Tout ce qui se révèle ici n'est-il pas un miracle ? Aujourd'hui encore, ne gardais-je pas ce diadème enfermé dans un coffret scellé ? et au moment de l'ouvrir pour t'offrir cette parure, n'en ai-je pas seulement trouvé l'empreinte vide dans la laine ? Ne le voyais-je pas briller déjà sur ta poitrine ?

ALCMENE

Mon âme le croira-t-elle donc ? Jupiter ? Le Dieu éternel, le père de l'humanité ?

JUPITER

Qui pourrait tromper ainsi cet instinct précieux qui, en un instant, te permet de peser tes sentiments ? Qui pourrait circonvenir ainsi ton âme, ton âme féminine qui se prolonge dans une sensibilité aux mille ramifications, qui pourrait circonvenir ainsi cette vibrante harmonie qui dans ton sein soupire en écho à ton souffle ?

ALCMENE

Lui-même ! Lui !

JUPITER

Les Etres tout-puissants peuvent seuls te visiter avec autant de hardiesse que l'a fait cet étranger, et je triomphe de tels rivaux. Je me plais à voir que si ces êtres omniscients veulent trouver la voie de ton cœur, si ces êtres omniprésents veulent t'approcher,

il leur faut, bien-aimée, être eux-mêmes **Amphitryon**, et **dérober**
ses traits, pour que ton âme les reçoive.

ALCMENE

C'est vrai !

(Elle lui donne un baiser.)

JUPITER

Divine !

ALCMENE

Comme je suis heureuse ! Et comme j'accepte ce bonheur
avec joie ! Comme j'accepte toute la douleur que m'a causée
Jupiter, si tout continue à me sourire comme par le passé !

JUPITER

Te dirai-je ma pensée ?

ALCMENE

Eh bien ?

JUPITER

Te dirai-je même, si aucune révélation ne nous le confirme,
ce que j'incline à croire ?

ALCMENE

Eh bien ? Quoi donc ? Tu m'inquiètes.

JUPITER

Et si tu avais — ne t'effraies-tu pas ? — et si tu avais provoqué
Son dépit ?

ALCMENE

Son dépit ? Moi ? Le provoquer ?

JUPITER

Existe-t-Il bien pour toi? Prends-tu bien conscience du monde,
Sa grande création ? Le vois-tu dans les lueurs rougeâtres du
soleil couchant qui descend derrière les buissons silencieux ?
L'entends-tu dans le murmure des eaux et dans le chant du rossi-
gnol voluptueux ? N'est-ce pas en vain que te Le révèlent la mon-
tagne dressée vers le ciel, la cataracte dont les eaux se brisent sur
les rochers ? Quand là-haut le soleil étincelle dans Son temple,
quand l'univers palpitant de joie Le salue de son concert, et que
Le louent toutes les espèces qu'Il a créées, ne t'ensevelis-tu pas
au plus profond de ton cœur pour adorer une idole ?

ALCMENE

Que dis-tu là, bourreau ? Peut-on le révérer avec une piété plus enfantine que la mienne ? Se passe-t-il un jour sans que je m'agenouille à son autel pour lui rendre grâce de m'avoir donné et la vie, et ce cœur, et toi-même, mon bien-aimé ? Tout récemment encore, ne me suis-je pas, dans la nuit étoilée, jetée à ses pieds, le visage contre terre, tandis que de mon cœur bouillonnant d'ardeur montait vers le ciel une adoration aussi brûlante que la vapeur des sacrifices ?

JUPITER

Pourquoi te jetas-tu le visage contre terre ? N'était-ce pas plutôt parce que, dans le sillon saccadé de l'éclair, tu avais retrouvé des traits bien connus ?

ALCMENE

Tu me terrifies ! Comment sais-tu cela ?

JUPITER

Qui est celui que tu pries à Son autel ? T'adresses-tu bien à Celui qui demeure au-dessus des nuages ? Ton esprit troublé peut-il bien le concevoir ? Ton cœur, habitué à son petit nid, peut-il s'enhardir à tel envol ? N'est-ce pas plutôt toujours devant Amphitryon, ton bien-aimé, que tu te prosternes dans la poussière ?

ALCMENE

Infortunée que je suis, comme tu me bouleverses ! Peut-on porter la faute d'un crime involontaire ? Irai-je prier un mur de marbre blanc ? J'ai besoin de lui donner des traits pour le penser.

JUPITER

Tu le vois ! Ne le disais-je pas ? Et ne penses-tu pas qu'une telle idolâtrie le blesse ? Voudra-t-il renoncer à ton noble cœur ? Ne voudra-t-il pas plutôt se sentir l'objet de ton adoration intérieure ?

ALCMENE

Ah ! certes il le voudra. Quel est le pécheur dont l'hommage n'est pas agréable aux dieux ?

JUPITER

Assurément ! Quant il descendit jusqu'à toi, il ne vint que pour te contraindre de songer à lui, pour se venger de ton oubli.

ALCMENE

Horreur !

JUPITER

Ne crains rien. Il ne te punira pas plus que tu l'as mérité. Mais à l'avenir, comprends-moi, tu ne penseras qu'à lui devant son autel, à lui qui t'apparut la nuit, et non à moi.

ALCMENE

C'est bien, je te le jure solennellement. Son aspect m'est familier dans le plus petit détail, et je ne le confondrai plus avec toi.

JUPITER

A la bonne heure ! Autrement tu risques qu'il revienne. Aussi souvent que tu verras son monogramme écrit sur le diadème, pense avec ferveur à son apparition, te souvenant de chaque détail de la scène : comment, au rouet, tu tressaillis de crainte devant l'Immortel ; comment tu payas son joyau, comment il t'aida pour ceindre le diadème, ce qui se passa au moment des ortolans. Et si ton époux te dérange, prie-le amicalement de te laisser à toi-même pour une heure.

ALCMENE

Bien, bien, tu seras satisfait de moi. Le matin à la première heure, aucune de mes pensées ne s'élancera vers toi. Mais ensuite, j'oublierai Jupiter.

JUPITER

Mais si maintenant, dans tout son éclat, touché par un tel retour au bien, l'immortel Ebranleur des nuées t'apparaissait, ma bien-aimée, dis-moi, quelle serait ton attitude ?

ALCMENE

Ah, le terrible moment ! Puissé-je ne me l'être jamais représenté qu'à l'autel, quand il était si semblable à toi !

JUPITER

Tu n'as encore jamais vu son visage immortel, Alcmène ; ah ! mille félicités feront s'épanouir ton cœur devant lui. Ce que tu ressentiras pour lui te semblera de feu, et de glace ce que tu éprouves pour Amphitryon. Oui, s'il touchait maintenant ton âme, puis repartait en te quittant vers l'Olympe, tu apprendrais à connaître l'incroyable et pleurerais de ne pouvoir le suivre.

ALCMENE

Non, non, ne crois pas cela, Amphitryon. Si je pouvais ramener ma vie d'un jour en arrière et m'enfermer à triple tour dans ma chambre à l'abri de tous les dieux et de tous les héros, j'y consentirais...

JUPITER

Vraiment, tu ferais cela ?

ALCMENE

J'y consentirais de tout cœur.

JUPITER

Maudit soit l'aveuglement qui m'a attiré ici.

ALCMENE

Qu'as-tu ? Es-tu en colère ? T'ai-je blessé, mon bien-aimé ?

JUPITER

Tu ne voudrais pas, candide enfant, adoucir son existence colossale ? Tu lui refuserais le velours de ton sein pour y reposer la tête qui régit l'univers ? Ah, Alcmène ! Même l'Olympe est désert sans amour. Qu'apporte au cœur altéré l'adoration des peuples prosternés dans la poussière ? Il veut être aimé pour lui-même, et non pour la fausse image qu'ils se font de lui. Enveloppé d'un voile éternel, il aimerait se mirer dans une âme, se refléter dans les pleurs nés du ravissement. Vois, bien-aimée ! Il répand éternellement tant de joies entre le ciel et la terre ! Et toi, tu serais désignée par le destin, en témoignage de la reconnaissance de tant de millions d'êtres, pour acquitter au prix d'un seul sourire tout ce qu'il peut exiger de la création, et tu te... — hélas, je ne peux le croire, ne me laisse pas le croire, ne me...

ALCMENE

Loin de moi la pensée de me dresser contre les hauts décrets divins. Si je fus choisie pour une fonction aussi sacrée, que mon Créateur donne ses ordres à sa créature. Cependant...

JUPITER

Quoi donc ?

ALCMENE

...Si on me laissait le choix...

23

JUPITER

Si on te laissait...

ALCMENE

...le choix, je garderais pour lui mon respect soumis, et pour toi mon amour, Amphitryon.

JUPITER

Et si pour toi j'étais ce Dieu ?

ALCMENE

Si tu... Que m'arrive-t-il ? Si tu étais ce Dieu ?... Je ne sais... Dois-je tomber à genoux devant toi ? Ne le dois-je pas ? Es-tu ce Dieu ? L'es-tu ?

JUPITER

A toi de décider. Je suis Amphitryon.

ALCMENE

Amphitryon !

JUPITER

Ton Amphitryon, oui. Cependant, je te le demande, si j'étais ce Dieu, descendu par amour de l'Olympe jusqu'à toi, comment te conduirais-tu ?

ALCMENE

Si, bien-aimé, tu étais pour moi ce Dieu, je ne saurais alors où est mon Amphitryon et je te suivrais, où que tu ailles, serait-ce, comme Eurydice, en enfer.

JUPITER

Si tu ne savais où est Amphitryon. — Mais si Amphitryon t'apparaissait alors ?

ALCMENE

Si Amphitryon m'apparaissait ? Ah, tu me tortures ! Comment Amphitryon peut-il m'apparaître puisque je tiens Amphitryon dans mes bras ?

JUPITER

C'est peut-être le Dieu que tu tiens dans tes bras, croyant tenir Amphitryon. Pourquoi faut-il que ton sentiment te surprenne ? Si moi, le Dieu, je te tenais maintenant enlacée, et si Amphitryon t'apparaissait, comment se déclarerait ton cœur ?

ALCMENE

Si toi, le Dieu, tu me tenais maintenant enlacée, et si Amphitryon m'apparaissait — je serais si désespérée... Je souhaiterais
que ce soit lui le Dieu et que toi, tu restes pour moi l'Amphitryon
que tu es.

JUPITER

Ma douce, mon adorable créature ! En qui je m'estime si
heureux, si heureux ! Créature si conforme à la pensée divine,
pour la forme, et l'équilibre, et l'harmonie que rendent ses cordes
— créature comme il n'en est pas échappé à mes mains depuis
des milliers de siècles !

ALCMENE

Amphitryon !

JUPITER

Calme-toi, calme-toi, calme-toi. Tout se terminera par ta victoire. Le Dieu est tourmenté du désir de se montrer à toi. Et avant
que dans son ascension l'armée des étoiles n'envahisse les plaines
silencieuses de la nuit, ton cœur saura pour qui il brûle. — Sosie !

SOSIE

Seigneur !

JUPITER

En route maintenant, fidèle serviteur ! En route, afin que ce
jour soit glorifié ! Alcmène dans son amour s'est réconciliée avec
moi. Pour toi, tu vas aller convier à un festin les hôtes que tu
trouveras dans mon camp.

(Ils sortent tous deux.)

ACTE II, SCÈNE 6

CHARIS, SOSIE

CHARIS *(à part)*

Qu'as-tu entendu là, malheureuse ? Ce seraient des Dieux de
l'Olympe ? Et celui qui se donne ici pour Sosie — serait un des
Immortels, Apollon, Hermès ou Ganymède ?

SOSIE *(à part)*

Le Dieu de la foudre ! Zeus ! C'était donc lui !

CHARIS *(à part)*

Fi ! n'as-tu pas honte de ta conduite !

SOSIE *(à part)*

Ma foi, il n'était pas mal servi. Un gaillard qui se posait là, et qui se battait pour son maître comme un tigre !

CHARIS *(à part)*

Qui sait si je ne me trompe pas. Il me faut l'éprouver. *(Haut)* Allons, faisons nous aussi la paix, Sosie.

SOSIE

Une autre fois. Je n'ai pas le temps maintenant.

CHARIS

Où vas-tu ?

SOSIE

Je dois convoquer les généraux.

CHARIS

Accorde-moi d'abord un mot, mon époux.

SOSIE

Ton époux ? Oh, bien volontiers.

CHARIS

As-tu entendu ? Hier, au crépuscule, ma princesse et sa fidèle servante auraient reçu la visite de deux grands Dieux descendus de l'Olympe, Zeus, l'assembleur de nuées, accompagné du resplendissant **Phébus** ?

SOSIE

Oui, si toutefois c'est vrai. J'ai malheureusement entendu cela, Charis. Je n'ai jamais aimé ce genre d'union.

CHARIS

Jamais aimé ? Pourquoi cela ? Je ne vois pas...

SOSIE

Hum ! A dire vrai, c'est comme le cheval et l'ânesse.

CHARIS

Cheval et ânesse ! Un Dieu et une princesse ! *(A part)* En voilà un qui ne vient pas sûrement de l'Olympe ! *(Haut)* Il te plaît de t'amuser de ton humble servante. Un triomphe comme celui qui vient de nous arriver est encore à Thèbes chose inouïe.

SOSIE

Pour ma part, je m'en suis mal trouvé. J'aurais mieux aimé une bonne dose de honte que ces maudits trophées qui resplendissent sur mes deux épaules. Mais il faut que je me presse.

CHARIS

Voyons, je voulais dire — Qui eût rêvé de recevoir de tels hôtes ? Qui donc pouvait croire que deux des Immortels se cachaient sous la pauvre enveloppe humaine ? Assurément, il est plus d'un bon côté que notre négligence a gardé caché au plus profond de nous-mêmes, et que nous aurions pu extérioriser plus que nous ne l'avons fait.

SOSIE

Ma foi, je n'aurais pas demandé mieux, Charis ; tu m'as montré autant de tendresse qu'une chatte sauvage. Corrige-toi !

CHARIS

Je ne savais pas que je t'avais offensé... Que j'avais fait plus qu'il ne...

SOSIE

Offensé ? Je veux être un fripon si tu n'as pas ce matin mérité la volée la mieux assaisonnée qui se soit jamais abattue sur une femme !

CHARIS

Voyons ! Que s'est-il donc passé ?

SOSIE

Ce qui s'est passé, coquine ? N'as-tu pas dit que tu irais chercher ce vaurien de Thébain que j'ai déjà tantôt jeté à la porte de chez nous? Ne m'as-tu pas promis une paire de cornes? Décerné impudemment le titre de cocu ?

CHARIS

Bah ! Plaisanterie, bien sûr !

SOSIE

Ah oui, plaisanterie ! Recommence un peu cette plaisanterie-là, et je t'administre, que le diable m'emporte, une de ces rossées !

27

CHARIS

O ciel ! Que m'arrive-t-il !

SOSIE

Chienne !

CHARIS

Ne me jette pas un regard si courroucé ! Je sens mon cœur se briser en morceaux !

SOSIE

Fi, n'as-tu pas honte, sacrilège ! Te rire ainsi de la sainteté de ton devoir conjugal ! Va, ne te rends plus coupable d'un tel péché, voilà mon conseil — et à mon retour, je veux manger de la saucisse rôtie aux choux.

CHARIS

Tout ce que tu voudras. Pourquoi tarder davantage ? Pourquoi hésité-je ? N'est-ce pas lui ? N'est-ce pas lui ?

SOSIE

Si c'est moi ?

CHARIS

Je me jette à tes pieds.

SOSIE

Qu'est-ce qui t'arrive ?

CHARIS

Me voici contrite à tes pieds.

SOSIE

Perds-tu le sens ?

CHARIS

Ah ! c'est toi, c'est toi !

SOSIE

Qui ça, moi ?

CHARIS

Ah, pourquoi me refuser cet aveu ?

SOSIE

Sont-ils tous devenus fous aujourd'hui ?

CHARIS

N'ai-je pas vu, dans la flamme de ton regard courroucé, rayonner Apollon qui lance au loin ses traits ?

SOSIE

Apollon ? moi ? Es-tu possédée ? L'un fait de moi un chien, et l'autre un Dieu ? — je suis — allons, on me connaît bien ! ce vieil âne de Sosie ! *(Il sort.)*

CHARIS

Sosie ? Quoi ? Toi, ce vieil âne que je connais si bien, Sosie ? Ah, maraud, voilà qui est bon à savoir ! Ce n'est pas toi qui auras de la saucisse chaude aujourd'hui ! *(Elle sort.)*

ACTE III

sc. 1re. — Amphitryon, seul
            (cf. Molière, III,1).

sc. 2. — Mercure, Amphitryon
            (cf. Molière, III,2).

sc. 3. — Amphitryon, seul
            (cf. Molière, III,3).

sc. 4. — Sosie, les Généraux, Amphitryon
            (cf. Molière, III,4).

sc. 5. — Les mêmes, Jupiter
            (cf. Molière, III,5).

sc. 6 et 7. — Jupiter, Sosie, les Généraux
            (cf. Molière, III,6).

sc. 8 et 9. — Mercure, Sosie
            (cf. Molière, III,7).

Acte III, Scène 10

*Entrent d'un côté **AMPHITRYON** et des **OFFICIERS**,
de l'autre **LE PEUPLE**.*

AMPHITRYON

Salut à tous ! Qui vous a convoqués, mes amis ?

UN HOMME DU PEUPLE

Des hérauts ont parcouru toute la ville en nous invitant à nous
rassembler devant votre palais.

AMPHITRYON

Des hérauts ! Et dans quel but ?

LE MEME

Nous devions être témoins, nous a-t-on dit, de la solution, par
un mot décisif de votre bouche, de l'énigme qui a plongé toute
la ville dans la consternation.

AMPHITRYON *(aux officiers)*

L'insolent ! Peut-on pousser l'impudence plus loin ?

DEUXIEME OFFICIER

Il finira bien par se montrer encore.

AMPHITRYON

Je gage qu'il le fera !

PREMIER OFFICIER

N'ayez crainte ! Argatiphontidas est là. Que je le tienne seulement sous mon regard, et je lui fais exécuter la danse de la mort
à la pointe de mon épée.

AMPHITRYON *(au peuple)*

Citoyens de Thèbes, écoutez-moi ! Ce n'est pas moi qui vous
ai fait venir ici, encore que je souhaite de tout cœur la bienvenue
à votre foule débordante. C'est lui, ce trompeur, cet esprit infernal ; celui qui veut me chasser de Thèbes, du cœur de ma femme,

de la mémoire du monde, et même, s'il le pouvait, de la forteresse de ma propre conscience. C'est pourquoi il vous faut maintenant rassembler vos esprits ; et quand chacun de vous serait un Argus doué d'un millier d'yeux, habile à reconnaître, à l'heure de minuit, un grillon à sa trace dans le sable, écarquillez les yeux, sans épargner votre peine, comme des taupes qui en plein midi cherchent le soleil ; tous ces regards, jetez-les dans un miroir et tournez-en tout l'éclat en plein sur moi, le promenant de haut en bas de la tête aux pieds ; dites-moi alors, parlez, rendez-moi raison : qui suis-je ?

LE PEUPLE

Qui tu es ? Amphitryon !

AMPHITRYON

Bien. Amphitryon. Soit. Si maintenant reparaît là-haut ce fils des ténèbres, ce monstre sur la tête duquel chaque cheveu reproduit l'ondulation de chacun des miens ; si alors vos sens égarés par la ruse ne disposent même plus du faible indice nécessaire aux mères pour reconnaître leurs tout jeunes enfants ; s'il vous faut alors vous décider entre lui et moi comme vous feriez entre deux gouttes d'eau, l'une douce et pure et véritable, toute d'argent, l'autre poison, mensonge, meurtre et mort : à ce moment rappelez-vous que c'est moi qui suis Amphitryon, citoyen de Thèbes, moi qui viens de briser la plume de ce casque.

LE PEUPLE

Oh ! Oh ! Que fais-tu ? Ne touche pas à la plume, tant que brille à nos yeux toute ta vigueur.

DEUXIEME OFFICIER

Pensez-vous que nous aussi... ?

AMPHITRYON

Laissez-moi faire, amis. J'ai tout mon sens, je sais ce que je fais.

PREMIER OFFICIER

Faites ce que vous voulez ; cependant j'espère bien que ce n'est pas pour moi que vous avez monté cette comédie. Si vos généraux ont hésité à l'apparition de ce singe, rien de tel n'arrivera à Argatiphontidas. Qu'un ami ait besoin de nous dans une affaire d'honneur, il n'est que de s'enfoncer le casque jusqu'aux yeux et d'aller droit à l'ennemi. Ecouter l'ennemi se répandre en rodomontades, c'est bon pour les vieilles femmes ; moi, pour ma part, je suis toujours pour les procédés les plus courts ; dans un cas pareil, on commence par courir sus à l'adversaire, et sans musarder, on lui passe la dague au travers du corps. Argatiphontidas, en un mot, montrera aujourd'hui s'il est un brave à trois poils ; et vous verrez, par Arès, si une autre main que la mienne fait mordre la poussière à cette canaille.

AMPHITRYON

Sus donc !

SOSIE

Me voici prosterné à vos pieds, mon véritable maître, mon noble maître persécuté. Je suis entièrement revenu de mon erreur et j'attends maintenant le salaire de mon crime. Frappez, souffletez, rossez, bousculez, écrasez-moi, faites-moi mourir, sur mon âme, je ne broncherai pas.

AMPHITRYON

Debout. Que s'est-il passé ?

SOSIE

Du repas qu'on servait, on ne m'a pas même laissé l'odeur. Cet autre Moi, serviteur de l'autre Vous, était de nouveau complètement possédé du démon ; bref, on me des-Sosie, comme on vous a désamphitryonnisé.

AMPHITRYON

Vous entendez, concitoyens.

SOSIE

Oui, citoyens de Thèbes ! Voici le véritable Amphitryon ; et celui qui siège à table mérite d'être mangé lui-même par les corbeaux. Sus ! Prenez d'assaut le palais, si vous le voulez bien, et nous trouverons les choux encore tout chauds.

AMPHITRYON

Suivez-moi.

SOSIE

Mais voyez ! Le voici qui vient lui-même. Lui et elle.

Scène 11

ALCMENE,
LES MEMES, JUPITER, MERCURE, CHARIS, LES GENERAUX

ALCMENE

Cruel ! Un mortel, dis-tu, et tu veux me présenter toute honteuse à ses yeux ?

LE PEUPLE

Dieux éternels ! Que voyons-nous !

JUPITER

Le monde entier, ma bien-aimée, doit savoir que personne n'a pu s'approcher de ton âme sinon ton époux, sinon Amphitryon.

AMPHITRYON

Dieu de ma vie ! La malheureuse !

ALCMENE

Personne ! Peux-tu changer le cours du sort une fois accompli ?

LES OFFICIERS

Dieux de l'Olympe ! Amphitryon ! Là-bas !

JUPITER

Il le faut pour toi, ma très chère ; il le faut pour moi ; tu dois, ma Vie, t'y forcer, et tu le feras. Allons, ressaisis-toi, un triomphe t'attend !

AMPHITRYON

Par la foudre, l'enfer et le diable ! M'offrir, à moi, un tel spectacle !

JUPITER

Soyez les bienvenus, citoyens de cette ville !

AMPHITRYON

Chien ! Assassin ! C'est pour te mettre à mort qu'ils sont venus ! Sus, allons ! *(Il dégaine.)*

DEUXIEME GENERAL *(lui barrant le chemin)*

Halte-là !

AMPHITRYON

En avant, Thébains, sur mon ordre !

PREMIER GENERAL *(montrant Amphitryon)*

Thébains, sur mon ordre, arrêtez ce traître !

AMPHITRYON

Argatiphontidas !

PREMIER OFFICIER

Suis-je ensorcelé ?

LE PEUPLE

Un œil humain peut-il ici se décider ?

AMPHITRYON

Par la mort et le diable ! O rage, et point de vengeance ! O anéantissement ! *(Il tombe dans les bras de Sosie.)*

JUPITER

Sot que tu es, laisse-toi dire deux mots.

SOSIE

Ma foi ! il aura peine à entendre. Il est mort.

PREMIER OFFICIER

A quoi bon le plumet brisé ? — « Ecarquillez les yeux comme des taupes ! » Ce sera celui que reconnaîtra sa propre femme.

PREMIER GENERAL

Voici, officiers, voici Amphitryon.

AMPHITRYON *(revenant à lui)*

Quel est celui que reconnaît sa propre femme ?

PREMIER OFFICIER

Celui qu'elle reconnaît, c'est celui au bras duquel elle est sortie du palais. Et qui donc enlacerait-elle, telle la vigne l'ormeau, sinon cet arbre qui est le sien, Amphitryon ?

AMPHITRYON

Que ne me reste-t-il assez de force pour écraser dans la poussière la langue qui dit cela ! Elle ne le reconnaîtra pas ! *(Il se relève.)*

PREMIER GENERAL

Tu mens ! Crois-tu troubler le jugement du peuple, qui a ses yeux pour voir ?

AMPHITRYON

Elle ne le reconnaîtra pas, je le répète ! — Si elle le reconnaît pour époux, je ne demande plus alors qui je suis : je consens à saluer en lui Amphitryon.

PREMIER GENERAL

C'est bon. Parlez maintenant.

DEUXIEME GENERAL

Déclarez-vous maintenant, Princesse.

AMPHITRYON

Alcmène ! Mon épouse ! Déclare-toi : tourne encore une fois vers moi la lumière de tes yeux ! Dis que tu reconnais cet homme pour époux, et aussi rapide que l'éclair de la pensée, cette épée te délivrera de ma vue.

PREMIER GENERAL

Bien ! Le jugement va être prononcé sur-le-champ.

DEUXIEME GENERAL

Connaissez-vous cet homme ?

PREMIER GENERAL

Connaissez-vous cet étranger ?

AMPHITRYON

Ne connaîtrais-tu pas ce sein où tu appliquas si souvent ton oreille, pour qu'elle compte les battements qu'y fait naître pour toi l'amour ? Pourrais-tu ne pas reconnaître ces sons que si souvent, avant même qu'on ne pût les percevoir, tes regards dérobaient sur mes lèvres ?

ALCMENE

Que ne puis-je être engloutie dans la nuit éternelle !

AMPHITRYON

Je le savais bien. Vous voyez, citoyens de Thèbes ; l'impétueux Pénée remontera plutôt vers sa source, le Bosphore fera plutôt son lit sur l'Ida, le dromadaire parcourra plutôt l'Océan, avant qu'elle ne reconnaisse cet étranger.

LE PEUPLE

Serait-ce possible ? Lui, Amphitryon ? Elle hésite.

Parlez !

Parlez !

TROISIEME GENERAL

Dites-nous...

DEUXIEME GENERAL

Princesse, un mot !

PREMIER GENERAL

Nous sommes perdus si elle se tait plus longtemps.

JUPITER

Prête, prête à la vérité ta voix, mon enfant.

ALCMENE

Voici Amphitryon, c'est celui-ci, mes amis.

AMPHITRYON

Lui ! Amphitryon ! Dieux tout-puissants !

PREMIER GENERAL

Bien. Ton sort est jeté. Eloigne-toi.

AMPHITRYON

Alcmène !

DEUXIEME GENERAL

Va-t-en, traître, si tu ne veux pas nous forcer à exécuter le jugement qui te frappe.

AMPHITRYON

Bien-aimée !

ALCMENE

Indigne, ignoble personnage ! Oses-tu m'appeler de ce nom ? A la face de mon époux, en cette présence qui commande le respect, ne suis-je pas à l'abri de ta rage ? Monstre plus horrible à mes yeux que ceux dont l'énormité se vautre dans les marais, que t'ai-je fait, qu'il te faille m'approcher, enveloppé dans les plis de la nuit infernale, et baver sur mes ailes ton venin ? Qu'ai-je fait d'autre, esprit mauvais, qu'éblouir tes yeux d'un éclat tranquille de ver luisant ? Ce n'est que maintenant que je vois quelle folie me trompait. Il me fallait la clarté lumineuse du soleil pour faire la différence entre cette vile stature de grossier valet et la noble prestance de ces membres royaux, — entre le taureau et le cerf. Maudits soient les sens qui succombent à une ruse si grossière ! Maudit soit le cœur dont les battements nous trompent de la sorte ! Maudite l'âme qui n'est pas même capable de reconnaître son unique bien-aimé ! Je veux m'enfuir au sommet des monts, dans un désert de mort où la chouette même ne me visitera pas, si je n'ai pas de gardien capable de conserver mon cœur à l'abri du reproche — Va ! Ta vile ruse t'a réussi, et la paix de mon âme est brisée.

AMPHITRYON

Malheureuse ! Est-ce donc moi qui te suis apparu la nuit passée ?

ALCMENE

Assez ! Rends-moi la liberté, mon époux. Aie maintenant la bonté d'abréger un peu pour moi l'heure la plus amère de ma vie. Permets-moi d'échapper à ces milliers de regards qui comme autant de massues m'accablent de leurs coups croisés.

JUPITER

O divine ! Plus éclatante que le soleil ! Un triomphe t'attend, tel qu'à Thèbes jamais fille de prince n'en a connu. Attends donc encore un moment.

(A Amphitryon)   Crois-tu maintenant que je suis Amphitryon ?

AMPHITRYON

Si je te crois maintenant Amphitryon ? Mortel — trop odieux pour que le souffle me suffise à l'exprimer !

PREMIER GENERAL

Quoi, traître ! tu t'y refuses ?

DEUXIEME GENERAL

Tu le nies ?

PREMIER GENERAL

Vas-tu peut-être tenter de prouver que la Princesse nous a trompés ?

AMPHITRYON

Oh, chacun de ses mots est véridique ; l'or dix fois purifié n'est pas si vrai. Quand je les lirais écrits dans la nuit par des éclairs, quand la voix du tonnerre s'adresserait à moi, j'aurais moins de confiance en cet oracle qu'en ce qu'a dit sa bouche incapable de mensonge. Je fais maintenant sur l'autel ce serment, avant de mourir sur-le-champ d'une septuple mort, dans une conviction inébranlable : c'est lui qui pour elle est Amphitryon.

JUPITER

Parfait ! Tu es Amphitryon.

AMPHITRYON

Moi ? C'est moi ? Et qui es tu, redoutable esprit ?

JUPITER

Amphitryon. Je pensais que tu le savais.

AMPHITRYON

Amphitryon ! Aucun mortel ne peut comprendre cela. Sois intelligible.

ALCMENE

Quel discours est-ce là ?

JUPITER

Amphitryon ! Fou que tu es ! Doutes-tu encore ? Argatiphontidas et Phontidas, la cité de Cadmos et la Grèce, la lumière, l'éther et l'élément liquide, ce qui fut, ce qui est, et ce qui sera.

AMPHITRYON

A moi, mes amis, rassemblez-vous autour de moi, et voyons comment va se résoudre cette énigme.

ALCMENE

Horreur !

LES GENERAUX

Que penser de cette affaire ?

JUPITER (à Alcmène)

Penses-tu que c'est Amphitryon qui t'apparut ?

ALCMENE

Laisse-moi pour toujours dans l'erreur, si ta lumière ne doit pas pour toujours ensevelir mon âme dans la nuit.

JUPITER

Ah, maudite la félicité que tu m'as donnée, si je ne devais pas pour toujours être présent à ton âme !

AMPHITRYON

Allons, parle maintenant ; qui es-tu ?

(Tonnerre et éclairs. La scène se couvre de nuages. Un aigle, portant le foudre, descend en vol plané des nuages.)

JUPITER

Tu veux le savoir ?

(Il saisit le foudre ; l'aigle s'envole.)

LE PEUPLE

Dieux !

JUPITER

Qui suis-je ?

LES GENERAUX ET OFFICIERS

Redoutable figure ! C'est lui-même ! C'est Jupiter.

ALCMENE

Protégez-moi, puissances célestes !

(Elle tombe dans les bras d'Amphitryon.)

AMPHITRYON

Qu'on t'adore dans la poussière. Tu es le grand Dieu du tonnerre ! A toi est tout ce que je possède.

LE PEUPLE

C'est lui ! Dans la poussière ! Face contre terre devant lui !

(Tous se jettent à terre, sauf Amphitryon.)

JUPITER

Zeus s'est plu sous ton toit, Amphitryon, et de sa satisfaction divine un signe te sera donné. Chasse maintenant ton noir souci, et ouvre au triomphe ton cœur. Ce qu'en ma personne tu t'es fait à toi-même ne te fera pas de tort auprès de moi dans mon être divin. Si tu veux dans ma faute trouver ta récompense, c'est bien, je te salue en ami et prends congé de toi. Désormais ta gloire, comme mon univers, étendra ses limites jusqu'aux astres. Si mon merci ne te satisfait pas, soit ; ton vœu le plus cher s'accomplira, et je lui permets de s'exprimer devant moi.

AMPHITRYON

Non, père Zeus, je ne suis pas satisfait ! Et le vœu de mon

cœur trouve une langue pour s'exprimer. Ce que tu as fait pour Tyndare, fais-le aussi pour Amphitryon : donne-lui un fils aussi grand que les Tyndarides.

JUPITER

Soit. Un fils te naîtra, dont le nom sera Hercule : nul héros du passé ne se mesurera à lui, pas même mes Dioscures immortels. Il entassera douze monstrueux travaux en un impérissable monument de sa gloire. Et quand la pyramide une fois achevée élèvera son front jusqu'à l'ourlet des nuages, il en gravira les degrés vers le ciel, et dans l'Olympe je le recevrai, devenu dieu.

AMPHITRYON

Merci ! — Et celle-ci, tu ne me l'arraches pas ? Elle ne respire plus. Vois.

JUPITER

Elle te restera ; mais laisse-la reposer, si tu veux la garder !
— Hermès !

(Il se perd dans les nuées, qui pendant ce temps se sont écartées et laissent voir le sommet de l'Olympe, où siègent les Dieux.)

ALCMENE

Amphitryon !

MERCURE

Je te suis à l'instant, divin maître. Mais je veux encore dire à ce triste oiseau que je suis maintenant fatigué de porter son vilain visage et que je m'en vais avec de l'ambroisie en débarbouiller mes joues olympiennes ; qu'il a reçu des coups dignes d'être chantés, et que je ne suis ni plus ni moins qu'Hermès, le dieu aux pieds ailés !

(Il part.)

SOSIE

Que ne m'as-tu dispensé à jamais de l'honneur d'être chanté ! De ma vie je n'ai vu gaillard faire si diabolique usage de ses poings.

PREMIER GENERAL

En vérité ! Quel triomphe...

DEUXIEME GENERAL

Quelle gloire...

PREMIER OFFICIER

Tu nous vois pénétrés...

AMPHITRYON

Alcmène !

ALCMENE

Hélas !

FIN

*
* *

La réinterprétation de Kleist consiste à faire prendre au sérieux par Alcmène la distinction (dont s'irritait Boileau) établie par le galant Jupiter de Molière entre « amant » et « époux ». Ce point de dialectique romanesque, qui s'accompagnait de coups d'œil complices au spectateur, devient ici débat mystique, chargé d'inquiétude métaphysique. D'où la suppression du Prologue, qui présentait toute la pièce comme un jeu et atténuait ainsi par avance la disparate entre l'élément comédie et l'élément poésie. Moins artiste que philosophe, encore que poète lui aussi, Kleist au contraire accuse le dualisme entre l'esprit et les sens, l'humain et le divin, non seulement dans la conscience de l'héroïne, mais dans la structure même de la pièce, faisant succéder à la théosophie érotique de Jupiter l'appétit du « vieil âne » Sosie pour la saucisse aux choux (à cette tendance se rattache le nom antiphrastique de Charis : grâce). Si la comédie n'est pas toujours absente des scènes entre Jupiter et une Alcmène durement mystifiée, c'est pourtant le tragique qui domine et écrase la pièce, envahissant parfois jusqu'au personnage de Sosie, dépouillé de son identité (l'Acte 1er est traversé de résonances philosophiques bien étrangères à Plaute et à Molière), et accablant à plus forte raison celui d'Amphitryon, acculé finalement au renoncement total et à l'aveu désespéré, « *Oui, c'est lui, qui pour elle, est Amphitryon* », par quoi seul il obtiendra son pardon.

La tragédie d'Alcmène procède pour l'essentiel de la même erreur trop humaine : préférer à l'évidence du sentiment intérieur les témoignages concrets saisis par les sens. La scène des initiales (II, 4) où Alcmène se reconnaît « pécheresse » parce qu'elle a besoin d'indices matériels (préparant par là le « sermon » de Jupiter sur le culte intérieur) est révélatrice. Amphitryon de même, au lieu de garder foi en l'amour de son épouse, s'en remettait à des critères extérieurs : déclarations de témoins, plume brisée au chapeau... Les leçons de l'Idéalisme allemand contemporain sont appliquées ici poétiquement à l'Être par excellence, la Divinité, et à la seule Réalité, celle de l'Amour, qu'on doit adorer au plus profond du cœur et non sous des figures. Mais le Tragique va plus loin, jusqu'au dépouillement total; même le sentiment intérieur peut induire en erreur (« *Maudit soit le cœur dont les battements nous trompent de la sorte !* » (III, 11)). La victoire d'Alcmène, promise par Jupiter à la fin de la grande scène centrale (II, 5), est une victoire dérisoire, qui rappelle l'ironie tragique des Grecs, avec laquelle sont désormais familiers les spectateurs des drames de Schiller, et qui annonce le dénouement ambigu d'*Amphitryon 38*.

Il y a aussi une tragédie de Jupiter, qui veut, comme chez Molière — mais douloureusement — être aimé pour lui-même. Tragédie de la solitude de la grandeur (« *Même l'Olympe est désert sans amour* »); insatisfaction qui, tout de suite transposée sur le plan religieux, nous ramène au débat central sur l'idéalisme, avec l'opposition du culte intérieur et de l'idolâtrie.

Voilà qui semble aussi éloigné que possible, au dénouement près, du ton d'*Amphitryon 38*, où les hommes sont proclamés moralement vainqueurs de ces dieux qu'ils n'ont pas la moindre envie de rejoindre sur leur Olympe; où les illusions heureuses sont sagement préférées à une réalité inhumaine; où le duel des âmes se dissimule derrière celui des intelligences; où le tragique s'abrite pudiquement derrière des mots d'auteur d'une souriante désinvolture.

II

L'*AMPHITRYON* DE GIRAUDOUX

L A dette du poète français envers Kleist est complexe et subtile — c'est le moins qu'on puisse attendre d'un Giraudoux. Ce « précieux » Giraudoux, attiré par les subtilités galantes du Jupiter de Molière, est aussi un romantique — même s'il ne l'est pas à la façon de Kleist. Portant lui aussi le dilemme (mais en le débarrassant de toute métaphysique) à l'intérieur même de l'âme de l'héroïne, il confère à l'action intensité et dignité tragiques ; chez lui aussi c'est Alcmène qui, au dénouement, est appelée à distinguer entre les deux Amphitryon, alors que chez Molière elle disparaissait de la scène à la fin du second Acte.

Entré en contact avec l'œuvre de Kleist au plus tard au temps de sa préparation à l'agrégation (à partir de 1907 ; il n'y renoncera qu'en 1911)[7]. Giraudoux a songé à appeler « Siegfried *von Kleist* » le héros d'une de ses premières œuvres. À cet indice et aux divers rapprochements de détail établis par J.-J. Anstett (*op. cit.* [n. 3]), on peut ajouter des réminiscences

---

7. Laurence Le Sage dans « Giraudoux's German Studies », *Modern Quarterly Review*, vol. XII, 1951, fait état d'un carnet de notes d'étudiant des années 1907-1908, contenant des indications bibliographiques : « *It includes the major works and criticism of Kleist, Hoffmann, Chamisso, Fouqué and Brentano.* » (p. 358). La question est reprise en détail par J. Body (*op. cit.* [n. 1]).

certaines ou probables : mais Giraudoux a moins emprunté qu'il n'a exploité des suggestions. Le dénouement dans lequel son Alcmène demande à Jupiter de lui conserver son ignorance et ses illusions (préférant, selon l'heureuse formule de J.-J. Anstett, les fruits de l'arbre de la vie à ceux de l'arbre de la connaissance) a pu être suggéré par la vaine prière de l'héroïne de Kleist (V, 11 fin) : « *Laisse-moi toujours dans l'erreur...* ». De même l'amusante méprise d'Alcmène prenant Amphitryon pour Jupiter a pu être inspirée par la scène qu'imagine Kleist entre Charis et Sosie (II, 6). La tirade où Jupiter, dans la pièce allemande, s'étonne que sa victime n'envie pas le sort de Callisto et de Léda (II, 5) a pu donner à Giraudoux l'idée de la réaction bourgeoise de son héroïne et de la scène vaudevillesque entre Léda et Amphitryon-Jupiter (II, 6).

Plus intéressants et plus sûrs sont d'autres rapprochements qui, dans un esprit giralducien ou simplement moderne (le procédé est courant chez T. S. Eliot) prennent le caractère d'une véritable parodie. Au passage de Kleist qui vient d'être cité, correspond directement chez Giraudoux (II, 2) une série de questions de Jupiter (« *Mais tu n'aimerais pas avoir un fils moins humain que toi, un fils immortel ?* ») auxquelles Alcmène oppose autant d'ironiques fins de non-recevoir. Le dialogue est repris plus loin (II, 5), avec Mercure cette fois : n'envie-t-elle pas Léda ou Danaé ? (« *Si je les envie ? Pourquoi cette question ?* »), et Alcmène, pour justifier son refus, transpose sur le plan des imperfections physiques (« *je me hâle affreusement l'été... j'ai une dent de trop* ») l'indignité morale derrière laquelle se réfugie la « pécheresse » de Kleist. Même réminiscence parodique à l'Acte II, scène 5, lorsqu'Alcmène, proposant à Jupiter son pacte d'amitié, reprend, quitte à l'intervertir, l'opposition kleistienne entre culte intérieur et idolâtrie :

D'abord je penserai à vous, au lieu de croire en vous... Et cette pensée sera volontaire, due à mon cœur, tandis que ma croyance était une habitude, due à mes aïeux... Mes prières ne seront plus des prières, mais des paroles. Mes gestes rituels, des signes.

S'il se limitait à cette orientation nouvelle de la donnée moliéresque, enrichie de quelques suggestions de détail, auxquelles l'esprit de Giraudoux donne volontiers un tour parodique, l'intérêt de l'apport de Kleist serait déjà établi. Mais on peut aller plus loin, en constatant les ressemblances supplémentaires fournies par une confrontation entre l'*Amphitryon* de Giraudoux et une version remaniée de celui de Kleist.

> H. von KLEIST, *Amphitryon*, Tragikomödie in 3 Aufzügen, nach Molière, umgearbeitet von Wilhelm HENZEN [...] Bühnenausgabe [...]

ainsi s'intitule le n° 4519 de la populaire collection de poche « Reclams Universal-Bibliothek », paru en 1903 à Leipzig. Ce texte était encore en circulation entre les deux guerres ; Maria Anfossi, dans un article de 1929 (l'année même d'*Amphitryon 38*), dénonce l'ambiguïté du titre, qui tend à faire croire qu'il s'agit de la pièce de Kleist[8]. Il est probable que Giraudoux a connu sous cette forme, à l'origine du moins, l'*Amphitryon* de Kleist. Ses connaissances assez sommaires en allemand avant l'entrée à l'École normale[9], dont le concours ne comportait pas alors d'épreuves de langues vivantes, ne permettent guère de penser qu'il eut abordé la lecture d'un écrivain difficile avant la licence (obtenue en 1904) dont les programmes entre

---

8. M. ANFOSSI (*loc. cit.* [n. 4]). Par suite de la destruction des stocks de l'éditeur au cours de la dernière guerre, le remaniement de Henzen a disparu aujourd'hui de la circulation et a été remplacé dans la collection « Reclam » par le texte original de Kleist. J'ai dû à l'obligeance de la Maison Reclam, et à l'aimable intermédiaire des éditions Marcel Didier, de pouvoir en consulter un exemplaire.
9. On trouvera toutes précisions utiles dans le chapitre approprié de J. Body (*op. cit.* [n. 1]).

1902 et 1906 ne comportent aucune œuvre de Kleist. Si, comme c'est vraisemblable, il a trouvé en Allemagne, où il séjourne avant de se présenter au Diplôme, le petit volume de Reclam, paru en 1903, abondamment diffusé et convenant on ne peut mieux à un budget d'étudiant, il dut peu s'embarrasser de lui préférer une bonne édition de Kleist, moins facilement accessible.

III

L'*AMPHITRYON* DE HENZEN

W. Henzen (1850–1910), dramaturge de Leipzig, a écrit aussi sous le pseudonyme de « Fritz von Sakken ». Avant lui déjà, on avait tenté récemment de porter à la scène la pièce de Kleist, mais semble-t-il sans la modifier profondément. Meyer-Benfey, dans son grand ouvrage de 1913, qui fait encore autorité, sur *Le Théâtre de Kleist*, mentionne, sans malheureusement préciser davantage, des représentations à Munich après 1903 : à Munich, où précisément Giraudoux séjourne de façon intermittente en 1905 et 1906[10]. Il serait tentant de penser que le

10. H. MEYER-BENFEY, *Das Drama Heinrich von Kleists* (Göttingen, 1913), vol. I, p. 277 : « *Erst in neuerer Zeit hat man den Versuch gewagt, auch diese Dichtung auf die Bühne zu bringen* »; et vol. II, p. 543 (n. 6) : « *Die Erstaufführung fand am 8. April 1899 auf dem Berliner Theater (Paul Lindau) statt* [...] *Es folgte das Wiener Burgtheater (Paul Schlenther) am 22. Febr. 1903* [...] *und München.* [§] *Bühnenbearbeitungen sind im Druck erschienen von W. Henzen (Reclam 4519)* [...] *und von Gottfried Stommel, Hamburg 1911.* »
   Je n'ai pu me procurer le texte de Stommel, que Meyer-Benfey donne comme abrégeant considérablement les dernières scènes, tout en les débarrassant des éléments comiques.
   Giraudoux est à Munich de juin à octobre 1905 ; il y revient en janvier 1906 pour un séjour de durée incertaine, coupé par un voyage à Paris, et terminé par un autre voyage à Paris en juin 1906, lors de l'examen du Diplôme d'Études supérieures ; de juillet à octobre 1906, nouveau séjour en Allemagne. Il ne semble pas, après les recherches sur place de J. Body, que l'*Amphitryon* de Kleist, sous une forme ou sous une autre, ait été alors représenté à Munich.

jeune normalien put y assister, et qu'il aurait eu connaissance ainsi vers le même temps, et de l'intrigue de Kleist, et de celle qu'y substitue Henzen dans la collection « Reclam ». Son remaniement est sous-titré « tragicomédie » et figure même plus tard dans un rappel des titres de Kleist parus dans la collection, comme « TRAGÖDIE nach Molière » sans mention du nom de Henzen. Il s'orne d'une préface sur l'interprétation du mythe (« la Divinité, pour entrer dans le monde, pour lui devenir immanent, doit se dépouiller de son caractère divin et assumer la nature humaine... »). La médiocre valeur littéraire du texte n'incitant guère à le traduire, je me contenterai de l'analyser brièvement pour marquer les divergences avec l'original.

Henzen exalte plus encore que Kleist la figure d'Alcmène, modèle de fidélité conjugale, au détriment d'Amphitryon, qui devient un mari volage. Il est absent du foyer depuis cinq ans lorsqu'Alcmène demande à Zeus (Hermès et lui portent ici leurs noms grecs) de lui envoyer en songe l'image de son époux aimé. Ému de cette loyauté mal récompensée, le Dieu se présente lui-même sous les traits du mari ; il tombe amoureux de la jeune femme, et, jaloux de cet Amphitryon qui se montre indigne d'un tel trésor, il charge Hermès d'empêcher le retour annoncé de l'esclave et du maître, tout en songeant au moyen d'amener Alcmène à choisir entre son mari et lui. Il ne se fait pas encore reconnaître d'elle, se contentant de lui offrir une ceinture d'or spécialement ciselée par Héphaïstos.

L'Acte II ramène au foyer un Amphitryon assagi, repris de tendresse pour sa femme, et qui, pressé qu'il est de la revoir, remet à plus tard une visite à sa propre mère gravement malade. Le quiproquo traditionnel lorsqu'il se présente à Alcmène, dégénère en querelle, au cours de laquelle celle-ci lui reproche les infidélités que lui attribue la rumeur publique. Amphitryon entre dans une violente colère. Après son départ

Alcmène avise l'initiale « Z » sur le bijou offert par Zeus. C'est Héphaïstos, qui, chargé de graver un « A », s'est trompé. Zeus n'a plus alors qu'à se faire reconnaître, avec accompagnement d'un léger roulement de tonnerre. La jeune femme comprend d'elle-même que cette visite divine lui a été attirée par son idolâtrie. Elle se laisse très vite convaincre par Zeus de le suivre « *comme Eurydice jusque dans l'Hadès* » et se croit sûre de ne plus le confondre avec Amphitryon. Les réjouissances et le banquet ordonnés par Zeus pour célébrer cette victoire se déroulent au milieu des évolutions des danseuses et au son des flûtes, lorsque se fait entendre dans la coulisse la voix d'Amphitryon pleurant sa mère mourante. Son infortune réveille la fidélité et la pitié d'Alcmène ; elle repousse Zeus pour courir consoler son mari dans l'affliction :

AMPHITRYON, *dans la coulisse.*
Ah ! Qui m'assistera, malheureux que je suis ?

ALCMÈNE
Je viens, je viens !

ZEUS
Alcmène, ne t'enfuis pas !

ALCMÈNE
Arrière ! Hors de mon chemin !
Le véritable Amphitryon,
C'est celui qui peut éprouver la douleur, et qui verse des larmes ![11]

---

11. Acte II, scène 7 :
AMPH. — Wer hilft mir Armen auf ?
ALK. — Ich komme, ich komme.
ZEUS. — Alkmene, fliehe nicht !
ALK. — Hinweg ! Hinweg !
   Der ist der wirkliche Amphitryon,
   Der Schmerzen fühlen kann, der Tränen weint.

L'action rebondit cependant : la vieille mère n'était qu'évanouie; Amphitryon n'a pas besoin des consolations de sa femme, dont il n'a pas pardonné l'accueil initial.

Pendant toute la première partie de l'Acte III, Amphitryon est aux prises avec Hermès, avec les généraux qui l'abandonnent, avec son rival Zeus. Puis a lieu, comme chez Kleist, la grande confrontation publique. Lorsqu'Alcmène se prononce pour Zeus, Amphitryon furieux la menace de son épée, mais ce geste se perd dans l'émotion générale causée par la révélation au milieu du tonnerre, de Zeus sous sa figure divine. Prenant congé du couple, le dieu invite Alcmène à accueillir bientôt son messager Hermès, qui doit la conduire vers l'Olympe. Les deux époux restant seuls jusqu'à cette arrivée d'Hermès, Amphitryon se jette aux pieds d'Alcmène; cette fois la réconciliation est scellée, si bien qu'Hermès doit user, sans succès, de tous les arguments qu'il croit propres à convaincre Alcmène de le suivre — faisant appel successivement à la pitié (c'est ici que Henzen place le fameux vers « *Même l'Olympe est désert sans l'amour* »), à l'amour-propre et au désir de vengeance (pourquoi rester fidèle à un mari volage?), enfin à la menace (« *Ce qu'il veut de toi, il l'aura!* ») sur laquelle il quitte les époux. Fortifié par le pardon obtenu, Amphitryon se joint à Alcmène pour répondre à la menace des dieux par le défi de l'humanité; Zeus n'a plus maintenant pour adversaires de faibles mortels isolés, mais le Couple invincible :

AMPHITRYON
Nous ferons face à l'assaut de la tempête et du malheur !

ALCMÈNE
Le pouvoir de l'Amour est plus fort que les dieux![12]

12. Acte III, scène 10 (fin) :
   AMPH. — Wir stehen fest in Sturmes Not und Wetter !
   ALK. — Der Liebe Macht ist stärker als die Götter !

C'est sur ce cri de victoire que se termine la pièce.

Pauvre en psychologie, gauche dans son déroulement mélo-dramatique, lourd dans ses additions au comique kleistien (l'analyse qui précède laissait de côté, comme n'ayant rien pu apporter à Giraudoux, les rôles de Sosie et de Charis), le texte de Henzen ne méritait guère de supplanter comme il l'a fait celui de Kleist, sur lequel il avait seulement l'avantage d'une meilleure adaptation aux exigences de la scène. On aperçoit pourtant, à travers la maladroite mise en œuvre, l'in-térêt des innovations qu'il apporte, et qui sont celles même que Giraudoux saura exploiter avec un art inimitable : huma-nisation des dieux dans un duel où ils prétendent ne combat-tre qu'à armes égales ; conception plus humaine aussi d'Alc-mène, incarnation de la nature féminine telle que la voient les Romantiques (l'Eva de Vigny), tendre et pitoyable, consolatrice et inspiratrice. Par son dénouement, la pièce de Henzen (agrémentée dans plusieurs scènes de la musique de l'*Orphée* de Gluck) est un hymne au couple humain et à l'amour conjugal.

Si divers détails de mise en scène imaginés par l'adaptateur allemand se trouvaient déjà dans des opéras du XVIIIe siècle qu'a pu connaître Giraudoux[13], le poète français, en lisant Henzen, a dû être frappé de le voir prendre « le parti de l'humanité ». Ce Zeus qui venait en dieu visiter Alcmène, est gagné, une fois sous la livrée mortelle, par la contagion des sentiments humains : dès la scène 4 de l'Acte premier il raconte à Hermès comment il s'est pris d'amour pour la jeune femme et de jalousie pour son mari. Voulant être sûr d'être

13. Je vois dans l'*Amphitryon* de Sedaine, musique de Grétry (première ver-sion 1786) l'origine de la Voix céleste (Grand-Prêtre de Sedaine, Acte II, scène 1) et peut-être du rôle (développé par Giraudoux pour des raisons étrangères au sujet d'*Amphitryon*) du Trompette (Héraut de Sedaine, Acte II, scène 2).

aimé pour lui-même, il va jouer « cartes sur table » en se faisant reconnaître de l'intéressée au second Acte. Henzen a entrevu aussi le parti à tirer d'un Hermès-Mercure rendu à son rôle traditionnel de messager-entremetteur (dans l'esprit du Prologue de Molière). L'erreur de Henzen est de n'utiliser les services de ce maître-chanteur qu'à la dernière scène, au lieu de les mettre à profit, comme le fera Giraudoux (II, 5) dès l'action engagée, afin qu'ils revêtent moins le caractère d'une sommation que d'un véritable marché.

Reste à souligner enfin la supériorité (morale chez Henzen, et non intellectuelle comme chez Giraudoux) accordée sur son mari à une Alcmène qui, dès le milieu de la pièce (« *Tu sauras maintenant* [...] *distinguer clairement entre le Dieu et ton époux* » (II, 5)) peut et doit choisir en pleine connaissance de cause. Ses revirements et sa décision dépendent désormais de motifs purement humains : superficiellement, dépit contre Amphitryon ; profondément, amour du faible, de la « majesté des souffrances humaines ». C'est déjà l'attitude de l'héroïne de Giraudoux, qui s'écriera : « *Devenir immortel, c'est trahir, pour un humain.* »

Ne serait-ce pas d'ailleurs la préface de Henzen qui aurait donné à Giraudoux l'idée de son titre? Henzen, résumant l'histoire du thème, donne le chiffre de *trente-cinq* « Amphitryon » jusqu'à et y compris celui de Kleist[14]. Il les répartit ainsi : un original grec appartenant à la comédie nouvelle ;

14. L'*Amphitryon* de Henzen serait donc le trente-sixième. Celui de Stommel, signalé par Meyer-Benfey (voir *supra*, n. 10) comme publié à Hambourg en 1911, fournirait évidemment un commode *missing link* entre ce n° 36 et notre *Amphitryon 38*. Mais il est peu probable que Giraudoux, qui vient d'abandonner à cette date ses études d'allemand, ait eu connaissance d'un texte qui fut loin de bénéficier des facilités de diffusion que connut Henzen.
Les informations de Henzen sur le traitement du thème avant Kleist viennent certainement de l'étude de C. von Reinhardstoettner, *Die Plautinischen Lustspiele in späteren Bearbeitungen. I. Amphitruo* (Leipzig, 1880).

54

Plaute; 2 adaptations médiévales en latin; 8 Amphitryon espagnols (parmi lesquels sans doute Camoens, qu'il mentionne par ailleurs), 7 italiens, 5 français, 5 anglais, 7 allemands. Inutile de dire que cette liste est à la fois fort incomplète et arbitraire, car Henzen y fait figurer pour les besoins de la cause de simples traductions de Molière, arrivant ainsi à donner l'impression que la légende est aussi riche en Allemagne qu'en Italie ou en Espagne; quant aux « originaux » grecs, tous perdus, ils sont plus nombreux que ne semble le croire Henzen. Mais peu importe. Si l'on inclut l'« original grec », le total est de 36 et non 35. Avec la version Henzen elle-même on arrive à 37. L'*Amphitryon* de Giraudoux prendrait donc ainsi la *trente-huitième* place, et ce numéro d'ordre, par un paradoxe bien giralducien, serait moins fantaisiste que son fantaisiste auteur ne le laisse entendre.

IV

LE *JUPITER* DE FISCHER

UN *Jupiter* « amphitryonnisé ». Ainsi pourrait-on définir, en parodiant un mot du Sosie de Molière, la comédie de Fischer. Mais, pour continuer la plaisanterie, quel numéro donner maintenant à la pièce de Giraudoux ?

Amphitryon 38, ou « Amphitryon 39 » ? Entre Henzen et Giraudoux vient logiquement s'intercaler ce *Jupiter*, qu'il est hors de question que Giraudoux ait pu connaître.

Otokar Fischer a été l'un des jeunes auteurs de l'entourage du Président Masaryk qui, comme Karel Čapek et d'autres moins connus à l'étranger, ont donné un grand éclat à la vie littéraire et artistique de la Première République tchécoslovaque. Né en 1883, étudiant à Prague et à Berlin, il a enseigné dans des universités françaises et belges, traduit Villon et Kipling. Professeur d'allemand à l'Université Charles de Prague en 1909, bientôt titulaire de la chaire, spécialiste de Kleist et de Heine, il a aussi dirigé la section dramatique (par opposition à la section opératique) du Théâtre National. Il est lui-même connu comme auteur dramatique et poète. Grand patriote, il mourut frappé d'une attaque cardiaque en mars 1938 en apprenant l'entrée de Hitler, à la tête de ses troupes, à Vienne.

Son *Jupiter* n'est pas sa seule incursion dans le domaine de la mythologie gréco-latine; il est notamment l'auteur d'une tragédie d'*Héraklès*. *Jupiter* a été écrit en une semaine pendant l'été de 1918, trois mois avant l'indépendance de la Tchécoslovaquie, comme une suite en un acte à l'*Amphitryon* de Molière, dont il reprend les personnages principaux — Jupiter, Mercure, Amphitryon, Alcmène, Sosie et Cléanthis — en y ajoutant Junon et Iris, et en inversant la situation traditionnelle, puisque cette fois c'est Jupiter qui joue le rôle du mari trompé. L'introduction du personnage de la jalouse Junon n'est pas une innovation dans la riche et longue histoire du motif littéraire d'Amphitryon. Elle figure par exemple dans des *Amphitryon* néerlandais du XVIIe siècle, et en France, peu avant Molière, dans *Les Sosies* de Rotrou.

L'Acte en vers de Fischer fut représenté, à la suite d'une version en tchèque de la pièce de Molière, le 15 janvier 1919 dans un des principaux théâtres de la capitale, à Vinohrady; puis en 1936 à Moravská Ostrava, en Silésie morave; et une dernière fois en février 1948 à Prague, au cours d'une soirée commémorant le dixième anniversaire de la mort de l'auteur. La date hélas était fâcheuse; elle coïncidait avec le « Coup de Prague » qui allait instaurer dans le pays quarante ans de régime communiste. Le nom de Fischer, patriote lié à Masaryk, et juif de surcroît, était désormais, pour le nouveau régime, de ceux qu'on ne prononce pas. Ainsi s'explique que le manuscrit de *Jupiter* ait dû attendre le bref interlude du « Printemps de Prague » en 1968 pour connaître une modeste publication dans le petit Bulletin de la Société de Philologie classique (1969), dont la diffusion était des plus limitées. Mon épouse, professeur de langue et littérature tchèques à l'Université de Paris-Sorbonne, a pu par des amis pragois non seulement en obtenir un exemplaire, mais aussi faire faire une photocopie du manuscrit de Fischer, qui lui a permis de contrôler le texte imprimé. On peut dire que ce texte reste très largement

58

inconnu des lettrés tchèques aujourd'hui encore. Mon épouse en a établi une traduction littérale, que j'ai mise en vers en hommage à la fois à Molière et à Fischer, lequel a su reproduire avec élégance dans sa langue les mètres variés des vers moliéresques. Mais si les vers de Fischer sont rimés, on m'excusera de n'avoir pu faire de même, sous peine de transformer la traduction en adaptation. Nous avons tenu à respecter le mouvement et les nuances de l'original. J'exprime au passage mes vifs remerciements à M. Jacques Robichez (commentateur de l'*Amphitryon 38* dans l'édition de la « Bibliothèque de la Pléiade »), qui a bien voulu revoir mes vers, les corriger où il le fallait, et suggérer des aménagements dont j'ai tiré profit.

Fischer, bon connaisseur de la littérature française, germaniste de profession et poète, est l'auteur d'une étude en tchèque qui fait autorité sur *Heinrich von Kleist et son œuvre* (1912). Il connaissait certainement le remaniement de Henzen, mais il paraît sans intérêt de se demander si Henzen lui a apporté quoi que ce soit. On peut relever évidemment dans son œuvre de discrètes réminiscences de l'*Amphitryon* de Kleist, dont le fameux « Ach » final du poète allemand. Chez Fischer c'est Junon (la fausse Alcmène) qui le prononce (le terme existe en tchèque sous la même forme qu'en allemand ; nous le traduisons faute de mieux par « Hélas »). Les allusions de Mercure à l'omniprésence et l'omniscience de Jupiter sont un lointain écho du couplet « panthéiste » du Jupiter de Kleist dans la scène 5 de l'Acte II. Chez Fischer, le rôle d'Alcmène ne fait qu'effleurer passagèrement le tragique, dans la scène où devant Iris (cette dernière sous les traits de Cléanthis) elle envisage sans s'y arrêter l'éventualité d'un suicide ; mais précédemment elle a manifesté un égarement dans lequel sont repris presque littéralement les termes prêtés par Kleist à son héroïne, lorsqu'elle doute du témoignage de ses sens et même de son sentiment intérieur. Mais si Kleist était sérieux dans le souci qu'il

59

partageait avec plusieurs poètes contemporains, de souligner la parenté d'esprit entre les traditions germaniques et celles de la Grèce antique, et prêtait à son Jupiter des formules homériques comme « l'immortel ébranleur des nuées » ou « quel mensonge s'est échappé de tes lèvres », le même type de formules est manié par le Mercure de Fischer avec une ironie qui s'inspire de la désinvolture parodique du Prologue de Molière. On remarquera que chez Fischer le mot de la fin est celui même de Sosie chez Molière. L'ébahissement final de Junon devant « deux Amphitryon » fait écho à celui des Thébains chez Molière aussi bien que chez Kleist. Dans ce dénouement, la situation ridicule de Jupiter rappelle celle d'Amphitryon lorsque chez Molière il est victime des railleries de Mercure (III, 2, à la fin). Le « *Monsieur le dieu* » de Sosie est déjà chez Molière (III, 10); l'aparté du Mercure de Fischer disant de Jupiter « Il sait y faire » est une réminiscence du vers de Sosie, « *Le seigneur Jupiter sait dorer la pilule* » (III, 11). L'opinion d'Iris sur le sexe masculin — hommes et dieux confondus — et son appel à la solidarité des femmes contre les hommes, juste avant le moment où elle va, sous les traits de Cléanthis, se présenter à Alcmène, fait écho au propos de Cléanthis chez Molière (II, 5) :

> Que si toutes nous faisions bien
> Nous donnerions tous les hommes au diable,
> Et que le meilleur n'en vaut rien.

Il resterait (n'est-ce pas le plus intéressant?) à relever ce qui, dans le *Jupiter* de Fischer, ne peut manquer de frapper un lecteur tant soit peu familier avec *Amphitryon 38*.

C'est évidemment l'orientation délibérément *humaniste*, au sens idéologique de l'adjectif, par laquelle Fischer prend le contre-pied de l'exaltation du divin, qui domine la pièce de Kleist. Chez Molière, les dieux n'étaient pas pris au sérieux;

moins encore chez Giraudoux. Fischer s'amuse d'eux aussi, mais il ne se prive pas de présenter, comme le fera Giraudoux, la condition d'homme comme supérieure à la condition de dieu.

L'Alcmène de Giraudoux, qui consent à accorder à Jupiter son amitié, mais non son amour, qui n'a nulle envie d'être mère de héros, affirme bien haut devant Jupiter : « *Devenir immortel, c'est trahir, pour un humain.* » (II, 2). Sans doute, Jupiter a-t-il, à l'insu de sa victime, triomphé d'elle dès le début de la pièce (I, 6); il n'empêche que la victoire morale, dans *Amphitryon 38*, c'est celle du couple humain sur les dieux. Jacques Body, tout en reconnaissant que Giraudoux avait eu en mains le texte de Henzen, répugne dans *Giraudoux et l'Allemagne* à l'idée que son auteur puisse devoir quelque chose à une aussi mauvaise pièce que celle de Henzen. Pourtant le vers final de Henzen : « Le pouvoir de l'amour est plus fort que les dieux » est bien la moralité même de la pièce de Giraudoux.

L'amour humain n'a pas, dans la comédie de Fischer, un tel pouvoir. Mais les dieux — Jupiter, Junon, Iris — sont convertis à la cause de l'humanité; pour des raisons différentes à coup sûr : Jupiter s'ennuie dans son Olympe et envie à Mercure les fréquents voyages de ce dernier sur terre. Giraudoux aurait pu écrire cette réplique de Jupiter :

> Ô peuple de mes Grecs que j'aime tant !
> Tu n'es pas éternel — c'est pourquoi tu me plais.　　　(sc. 1)

Mercure a beau jeu de faire remarquer que dans cette humanité, c'est surtout le sexe féminin qui intéresse le maître des dieux; mais Jupiter, déjà prêt à entrer dans son rôle de mortel, reproche à son tour à Mercure son ton emphatique, et l'engage à adopter un langage *humain*. Junon, d'abord méprisante à l'égard des « habitants des sphères inférieures », et avec elle Iris, s'« humanisent » en constatant la détresse d'Alcmène.

Qu'on rapproche ce comportement des Olympiens de Fischer des propos que tient à Mercure le Jupiter de Giraudoux : (« Tu ne connais rien à l'amour humain, Mercure ! ») dès le début de la pièce, et la remarque de Léda, parlant de Jupiter à Alcmène : « *Ce qu'il aime en vous, c'est votre humanité.* » (II, 6).

Le plus remarquable est que les deux dramaturges, tchèque et français, aient eu la même idée — une idée éminemment scénique : la ruse qui se retourne contre son auteur. Le procédé n'était imaginable que dans une optique qui, mettant sur le même plan dieux et hommes, affirme la supériorité des seconds.

Chez Giraudoux, Alcmène croit tromper Jupiter en le jetant dans les bras de Léda, mais elle est prise à son propre piège, car ce n'est pas le faux Amphitryon qui arrive, mais le vrai :

LÉDA
[...] Voilà Jupiter ! Voilà le faux Amphitryon !

ALCMÈNE
Eh bien, il trouvera ici la fausse Alcmène [...] ô chère Léda, grâce à vous, je vous en supplie, faisons un petit divertissement pour femmes ! Vengeons-nous !   (II, 6)

La similitude avec la pièce de Fischer est ici surprenante. Junon, déguisée en Alcmène, croit qu'elle va être rejointe dans le palais par Jupiter (en Amphitryon), qu'elle veut ainsi convaincre de sa trahison. Mais c'est le véritable Amphitryon qui se présente, sans savoir qu'il n'a pas devant lui Alcmène.

Chacune des deux épouses, Alcmène chez Giraudoux, Junon chez Fischer, est sûre d'avoir affaire à un *faux* Amphitryon. Le chef thébain, chez Giraudoux, est revenu au palais entre deux combats. Il répond à l'esclave qui lui demande que faire des chevaux :

62

AMPHITRYON

Je me moque de mes chevaux. Je repars à l'instant.

ALCMÈNE

Il se moque de ses chevaux, ce n'est pas Amphitryon.   (II, 7)

Et quand le véritable Amphitryon, chez Fischer, menace de casser les os à Sosie, Junon remarque en aparté :

> Pour le remercier il lui fait des reproches !
> Ah, c'est mon Jupiter, je le connais bien là !   (sc. 2)

La vengeance préparée par Junon avec la complicité d'Iris se retourne contre l'épouse jalouse (il est vrai qu'elle n'a rien à regretter !). Et chez les deux dramaturges nous avons affaire à une vengeance de femmes, « un petit divertissement pour femmes » — la solidarité féminine réunissant chez Fischer Junon, Iris et (à son insu) Alcmène. Comme le dit Iris :

> Nous sommes toutes deux de même sexe,
> Et notre chagrin, c'est celui de cette femme.
> Nous associer à elle est de notre intérêt.
> Homme ou dieu, ça ne vaut pas cher
> Pour ce qui est de la moralité.   (sc. 1)

Jupiter et Amphitryon, le dieu et l'homme, sont logés à la même enseigne. C'est à juste titre que Sosie, au dénouement, adresse le même conseil aux dieux et aux hommes (« Ce qui arrive à nous, peut arriver à vous »). Le *Jupiter* du poète tchèque est un nouvel avatar d'Amphitryon, qui en a déjà connu plus de trente-huit, et même plus de trente-neuf.

JUPITER

Comédie en un acte en vers
(traduction de Hana JECHOVA-VOISINE *et* Jacques VOISINE)

Personnages :

JUPITER.
JUNON, son épouse.
MERCURE.
IRIS, confidente de Junon.
AMPHITRYON.
ALCMÈNE.
SOSIE.
CLÉANTHIS.

La scène est sur l'Olympe et à Thèbes.

SCÈNE I

Salle somptueuse, murs aux reflets métalliques. Jupiter, sur un siège d'or et d'ivoire, adresse un geste gracieux au noble invité qui prend congé avec force inclinations. Mercure dans une attitude cérémonieuse.

JUPITER
Qui donc encore est annoncé, Mercure ?

MERCURE, *jette un coup d'œil dans l'antichambre et revient.*
Plus personne, Seigneur, dans la salle d'attente.

JUPITER
Ah, quelle vie on vit ici !
Pompe et divinité partout, nulle part l'homme.

MERCURE

Ta Seigneurie, il semble, est d'une humeur chagrine.
Quelque querelle encor qui gronde sur l'Olympe?
A-t-on chez les mortels proféré des blasphèmes?
L'Hadès est en désordre? ou la danse des Heures?
(Insistant et sur un ton de confidence.)
Quoi? La déesse encor jalouse?

JUPITER
Ah, fils!
Je voudrais vivre sans déesses et sans dieux. —
Tout cet or ici, cet ivoire,
Je ne peux plus les supporter.

MERCURE, *pompeux.*
Mais tu es pourtant notre père!
N'es-tu pas roi des dieux comme des hommes?
Le sceptre est dans ta main, le monde t'appartient,
Sans relâche ton œil, ordonnant à l'éclair,
Commande à la lumière et au nuage
Aussi bien qu'à l'amour et à la haine.

JUPITER, *bondit.*
Je suis aussi, pourtant, un être vivant, moi!
Et je porte aussi, moi, dans ma poitrine un cœur!
Ne pas sortir des métaphores,
Même un Olympien à la longue en est las!
Éternel, éternel, et pour l'éternité...
Ainsi m'entends-je éternellement décliner!
Ô peuple de mes Grecs que j'aime tant,
Tu n'es pas éternel — c'est pourquoi tu me plais.
(Débitant mécaniquement.)
Le temps ici pour nous se traîne, et chaque jour
Ressemble tellement au jour qui le précède —

MERCURE, *en souriant.*
Comme Amphitryon à Amphitryon!

JUPITER, *feint de ne pas entendre.*

Et la nuit est aussi brillante que le jour.
Je me contenterais cependant de si peu
Et cèderais bien mon pouvoir à l'un de vous...

MERCURE

Mais tu préfèrerais régner encor à Thèbes?

JUPITER

Silence là-dessus!

MERCURE

Pour une seule nuit!

JUPITER

Dans tes voyages, toi, la terre, tu la touches.
Incessamment, tu vois nouvelles distractions.

MERCURE

Tu penses donc pourtant à cette race humaine.
Puis-je demander à quel sexe?

JUPITER

Revoir la terre, et sentir l'homme dans son être,

(Délirant.)

Avoir ce sentiment confus et vulnérable,
Souffrir à la façon des hommes,
Mettre à l'écart l'insupportable omniscience...

MERCURE

En un mot, Jupiter est donc bien amoureux.
Pourquoi tant de détours, pourquoi donc le nier?

JUPITER

Sur l'Olympe je suis un captif dans les fers.
Mais la terre est pour nous le véritable Olympe.

MERCURE

Sais-tu pourquoi contre le ciel tu vitupères
Et ce que ton amour pour les hommes veut dire?
Tu parles de la terre, et tu penses à Thèbes;
Tu nous parles de l'homme, et tu penses Alcmène.

JUPITER, *soupire.*

Oui, messager des cieux, tu l'as bien deviné.
À ton œil rien n'échappe. Allons, pourquoi le nier?
Moi — que les dieux de l'Hadès me pardonnent
Moi, Mercure, je l'aime, moi.
Ah, ses baisers, sa douce plainte,
Son tendre accueil, et son sourire!

MERCURE, *le parodiant.*
— Et ses genoux!

JUPITER

Et ce babil humain! Cet embarras humain!

MERCURE, *sur un ton d'avertissement.*

Et cette longue nuit!

JUPITER
Enfin : le changement!
Mes délices sont là, c'est là mon élément.
Changement, mouvement, émotion,
Oui, telle est mon essence.

MERCURE, *ton d'avertissement de nouveau.*

Mais revenu dans la gloire céleste
Ô dieu, tu n'étais plus *(Geste de la main.)* rien qu'un tout petit dieu.
Combien nos murs ont-ils retenti de querelles!
Comme l'air résonnait de plaintes — et soupirs!

JUPITER

Ah, ne trouver auprès d'une épouse jalouse
Ni compréhension, ni consolation —

MERCURE, *compatissant.*

Pauvre époux incompris, maintenant surveillé
À chaque pas par ta femme insensible.
Esclave à la merci de ton désir ardent
Dans le ciel, ce séjour forcé.

67

JUPITER

Je ne comprends pas ma Junon. La comprends-tu ?
Être jaloux, c'est le vice des vices.
Les femmes de nos dieux, je connais bien leur vie
Et pourrais mentionner aussi pas mal de choses —

MERCURE

Allons, avec Alcmène, il s'agissait de plus
Que de simples ragots. Permets, voyons, voyons...
Comment s'est donc passée à Thèbes cette affaire ?
　　　　Dans ma tête tout est confus,
　　　　J'ai tant d'emplois ! Mais si chez nous
Nous avions comme là-dessous le temps humain,
Depuis la plus récente de tes trahisons,
Il a dû s'écouler à peu près trois semaines.
Emprisonné si longuement !

JUPITER

　　　　　　　　Assez parlé !
Je suis décidé. Nous retournerons chez elle.

MERCURE

Nous ? Mais, pardonne-moi. Ce n'est pas mon devoir.
　　　　Tu chercheras un autre messager.
Ton expédition me tente, moi, fort peu.
Je ne puis pas. « À Dieu ne plaise », dirait l'homme.
Je ne puis plus jouer un rôle d'imbécile.
　　　　Je n'ai pas aimé celui de Sosie.
　　　　Dois-je imiter à nouveau cet ivrogne ?
Écouter des cancans et sentir la sueur ?
　　　　Non, merci. Ce séjour à Thèbes
　　　　Fut un moment des plus pénibles.

JUPITER

Écoute-moi, Mercure, et fais attention.
　　　　Je t'interdis ce ton si familier.
L'aurais-tu chez mes créatures attrapé ?

MERCURE

Envers le roi mon respect n'a pas de mesure.
Pourtant s'il est dans ma parole quelque poids,
    Seigneur, n'y va pas, je te prie.
Répéter un bonheur ne nous rend pas heureux.
Où l'amour versait ses délices, t'attendra
    Le faux-semblant trompeur.
Seul l'écho du mot d'autrefois retentira ;
Où le rire tintait, tintera raillerie.

(Insistant.)

La pièce est bien écrite. Ah, ne la récris pas.
Les poètes toujours s'en sont fort mal trouvés.

JUPITER

    Tu te moqueras donc de nous ?
Tu promets, au lieu de l'amour, le faux-semblant ?
Tu ne veux pas venir avec nous ? Bien, d'accord.
En toi je ne fais pas appel au responsable.
Mais mon ordre est formel : tu dois tout arranger.
Tu prépareras tout, t'informeras de tout,
Pour que je puisse enfin, de ces salles dorées,
Me rendre là-dessous chez mes très chers humains.

MERCURE

Moi, m'informer pour toi, Seigneur omniscient ?

JUPITER

    À quoi nous sert l'omniscience
S'il n'est permis d'aller là-bas souffler un peu ?
Quand la divinité sur nous a son pouvoir,
Que peut un dieu si son épouse en est jalouse ?
Et suis-je encore amant quand je suis un mari ?

(Impérativement.)

Tu vas tout arranger afin que ma Junon
N'ait de mon escapade aucun sujet de plainte.

(Il marche de long en large avec excitation.)

MERCURE

« Tu vas tout arranger... » c'est bien facile à dire,
Mais comment apaiser le courroux de Junon?
Ses gardes, ses espions sont dans toutes les salles.
Comment dois-je tromper l'auguste jalousie?

JUPITER, *ne répond pas.*

MERCURE

Que faire? Il faut tenter de servir mon Seigneur.
   Et tout d'abord je dois apprendre
Si le souci tourmente encore Amphitryon;
Où l'ont mené ses pas, quand, et par quel chemin.
   Comment s'y prendre pour le mieux?
D'un hôte du palais convoquons ici l'ombre,
  Puis nous lui poserons quelques questions,
  Et nous le renverrons à ses affaires.
Ayant à son retour repris tous ses esprits,
Sans plus du tout savoir où il s'était trouvé,
  Il n'aura plus qu'un vague souvenir
D'un songe étrange survenu dans son sommeil.

(Il abaisse le regard sur la terre.)

Voici Thèbes. Quelqu'un sur les marches couché.

(Sur un ton affecté.)

Dans les bras de Bacchus.

JUPITER

   Comment, de nouveau saoul?
Mais parle en homme, enfin!

MERCURE

   L'éveiller sera dur.

JUPITER

Vite! Je suis pressé.

MERCURE

   C'est bien lui, c'est Sosie.
C'est l'esclave d'Amphitryon. Il me dira

Comment vit, boit et languit le seigneur de Thèbes.
Ombre, toi, viens ici, viens auprès de Mercure.
Nous t'invitons ici ; prends ton vol vers l'Olympe.

(À Jupiter.)

Le voici qui se lève. Écartons-nous, Seigneur ;
Il doit s'accoutumer d'abord à tant d'éclat.
C'est la première fois que le séjour d'Olympe
    Accueille un spécimen aussi madré.

(Tous deux s'écartent, l'ombre de Sosie apparaît sur le seuil.)

SOSIE

Il me semble que j'ai volé... Je ne sais pas...
    Voyons, c'est un appartement de luxe !
Dois-je entrer du pied droit, du gauche, ou pas du tout ?
    Ah, dormir ici serait beau.
    Attends, mon pied. Pourquoi t'avances-tu ?
    Fi, paresseux, n'était-ce pas assez
    Dormir, après tout ce vin de Falerne ?
Oh, c'était bon. Dans les limbes j'étais couché.
    Et quelles limbes c'étaient !
    Me voici plongé dans un nimbe.
    Ne serais-je pas sur l'Olympe ?

(Il se pince l'oreille.)

Ouh ! ça fait mal. Ergo, je suis vivant ;
    Presque dessaoulé, donc je suis.
    Eh, ce n'est pas mal pour Sosie.
Mais comment donc ici suis-je venu ?

(Il s'assied et réfléchit.)

Il y a, la chose est sûre, quelque raison,
    Qu'un tel honneur me soit échu.
    C'est une fonction qui m'appelle ici.
    Mais laquelle, et que dois-je faire ?
Bon. Un moment. Il faudrait ici de l'esprit.
    Mais gare à ne pas tomber dans un piège.
Hé, Monsieur, où donc êtes-vous ? Je suis portier

À Thèbes, chez Amphitryon.
Faudra-t-il en ces lieux remplir le même office?
Portier ici, montrer les dents aux visiteurs,
Et tancer les servantes de l'Olympe?
(Il pointe l'index vers le bas dans la direction de la terre.)
Moi, là-dessous irremplaçable,
Ferai-je pour vous le cerbère?
Peut-être savez-vous, Messieurs les dieux,
Ce que je suis, ce que je sais... Eh! j'ai trouvé :
Leur messager sera malade
Et les dieux tenant leur conseil
Unanimement décidèrent
De me prendre pour remplaçant.
Rapide, brave, et d'esprit prompt,
Je suis en outre bien bâti.
Aujourd'hui plein de vin, demain de sentiment,
Je sers des personnes de condition.
De nature noble, je prise
Plus que l'argent la gentillesse.
Aucun obstacle à remplacer Mercure.
Après qu'à Thèbes il m'a rossé
Quand il a pris mon apparence,
Je pourrais bien ici le payer de retour,
Mais ne veux pas que le sang coule.
(Il se campe dans l'attitude de grandezza *de Mercure.*
Mercure revient. À l'arrière-plan Jupiter.)
Qui es-tu? Que veux-tu?

MERCURE
La chose est inouïe!
L'individu est saoul même encor sur l'Olympe!

SOSIE
N'es-tu pas par hasard Mercure? Quoi? Mais oui!
Ne voudrais-tu pas me battre encor? Frère,

Nos rôles sont ici autrement partagés.
Tu ne me fais plus peur. C'est toi, le misérable.

MERCURE, *à Jupiter.*

L'ombre a repris conscience. Et elle bredouille.
Il plaisante sur notre compte.
Il n'attend pas que l'interroge
Celui qui dans la rue est allé le pêcher.

SOSIE

Toi, mon indigne Moi, faux Mercure, sais-tu
Pourquoi désaltéré d'*aqua pura*
Ma bouche ici s'adresse à toi?
Pourquoi, dérangé de mon doux sommeil,
J'ai daigné traverser ce seuil?
Sais-tu bien qui, sur son Zéphir,
M'a porté, traîné jusqu'ici?
Sais-tu que sur son aile
L'aigle de Zeus au ciel m'a transporté?
Dans les demeures olympiennes je serai
Comme un nouveau Ganymède honoré;
Echanson, le nectar je verserai
Et du Seigneur serai chéri.
Car il adore, lui, les formes gracieuses
Et les charmes des jouvenceaux.

JUPITER, *se met à rire.*

MERCURE, *désespéré.*

Il faudrait qu'une fois encore je l'endorme.
Il a trop bu! Ça ne va pas...
J'aimerais te clore le bec
Si tu ne devais pas parler.
(Il le touche de son caducée.)
Allons, à mes questions
Tu vas répondre. Endors-toi de nouveau.

SOSIE, *endormi.*

J'ai gagné mon pari, c'est pourquoi j'avais bu.

MERCURE

Quelqu'un t'a-t-il posé quelque question?

SOSIE

Toi, bien sûr, Monsieur. À l'instant.

MERCURE

Silence! es-tu donc fou?
C'est vraiment à rendre son caducée!

SOSIE

Pourquoi serais-je fou?
C'est toi qui m'a transporté jusqu'au ciel.

MERCURE,
laisse tomber les bras de désespoir, tandis que Jupiter se tord de rire.

Maintenant tu vas me répondre.
Avais-tu là-dessous permission de dormir?

SOSIE, *comme un écolier.*

Non.

MERCURE

Et ta tâche était?

SOSIE

De garder le palais.

MERCURE

Pourquoi?

SOSIE

C'est qu'un voleur s'y était introduit.

JUPITER

Hé, que se permet-il?

MERCURE, *l'apaisant.*

Juste un moment. Patiente.

JUPITER

Il parle en son sommeil...

74

MERCURE, *à Sosie.*
— Comme un homme éveillé!

Et que fait ton seigneur?

SOSIE
Il est fou de colère.

MERCURE
Et quelle en est la cause?

SOSIE
Le seigneur dieu a piétiné ses plates-bandes.

MERCURE
La dame du logis?

SOSIE
Se désespère et pleure.

MERCURE
Où séjourne-t-elle à présent?

SOSIE
Seule en sa chambre.

JUPITER
Comment! Seule?

MERCURE
Silence! Il ne faut l'éveiller.
Seule, elle n'a pas peur?

SOSIE
Non.

MERCURE
Et pourquoi?

SOSIE
Ma femme est là tout à côté.

MERCURE
Ton maître?

SOSIE

Il est parti.

MERCURE

Et que devient alors Alcmène?

SOSIE

Elle gémit.

MERCURE

Mais où donc est le maître?

SOSIE

Hélas, je ne sais pas.

MERCURE, *à Sosie.*

Parle-nous de tes maître et maîtresse. D'un mot.
Que pleure celle-ci? Et l'autre, où s'en est-il allé?

SOSIE, *comme s'il récitait.*

Depuis l'affreux moment à l'aube
Où son rival divin l'a rencontré
Amphitryon n'a pas bougé de la maison.
Et la dame sans trêve a durement gémi.
Ce matin il s'est écrié : « Mille tonnerres!
Maudite soit la jalousie
Qui va donc me priver du gain de cette guerre
Où j'ai vaillamment combattu.
Cette oisiveté me dégoûte,
Et l'indolence m'est insupportable.
Ce jour même je pars,
Mon butin, ma gloire l'exigent!
Demain je serai de retour.
Sur sa tête me garantit
Mon fidèle Sosie
Que personne ici n'entrera...
Alcmène, quand je reviendrai,
Plus d'un seul pas je ne te quitterai. »

Il est parti. J'ai bu d'un doux breuvage
Puis au ciel je suis arrivé.

MERCURE
Il continue à s'en vanter,
Mais ce qu'il dit au fond n'est pas mensonge.

JUPITER
Il n'est pas, dans ce cas, de moment plus propice
Que celui-ci. Je m'en vais sans délai.

MERCURE
Tu vas...
Pas si vite. Un moment encore.
Ah, ces amants n'ont donc rien dans la tête !
Penses-tu bien aux serviteurs ? Ne crains-tu pas
Que Junon apprenne encor tout ?
Et si Amphitryon le sait ?
(Désignant Sosie.)
Et que faire de lui ?

JUPITER
Laisse-le donc chez toi.
Ainsi du moins il ne trahira rien.

MERCURE
Voilà comme on arrive au ciel.
Un céleste habitant de plus —
Ô divine bonté pour les mortels !
Mais — et la servante d'Alcmène,
Femme du céleste habitant ?

JUPITER, *maugréant.*
Tais-toi. Règle tout à ton gré.

MERCURE
C'est bon.
(À Sosie, insistant sur chaque mot.)
Ce que tu viens de voir, tu vas tout l'oublier ;

Et sans hésitation, à ton réveil,
Tu quitteras la maison de ton maître.
(Insistant plus encore.)
Prends avec toi ta Cléanthis
Et ne reviens à la maison qu'avec ton maître.
(Plaisantin.)
Sois bien gentil, sinon je reviendrai
À Thèbes te trouver... Allez, décampe !
(Sosie disparaît. Iris a entendu les derniers mots.)

IRIS, *à part.*

Ta Cléanthis ? Quel est ce nom
Que je ne connais pas ?
« À Thèbes » ? « revenir » ?
C'est à Thèbes que ma maîtresse fut trompée.
Ce traître devant son autel, c'était Sosie,
Quand à Thèbes pendant la nuit
Alcmène fut trompée
Par le dieu au visage d'homme.
Ne prépare-t-on pas une nouvelle ruse ?
Que voulait-il ici ? Je vais le rapporter.
C'est bien suspect. De Jupiter
Je ne voudrais être l'épouse.
(Elle sort.)

JUPITER, *satisfait, à Mercure.*

Voyons, pour cette nuit, et pour la matinée,
M'excuser auprès de Junon.
Que dois-je lui dire... À Dodone
Je dois me rendre... C'est gagné !

(Mercure et Jupiter sortent. De l'autre côté entrent Junon et Iris.)

JUNON

Ma compagne, est-ce tout ce que tu entendis ?
C'est encore trop peu. Ce n'est qu'une hypothèse.
Perdrai-je son amour ? Constante incertitude !

78

L'Olympe, mon foyer, me devient un enfer.
Une rivale humaine ! Indicible chagrin !
L'amour est un combat ; mais ayons mêmes armes !
    Si mes rivales sont bien mes égales
Par la naissance, alors, je n'en suis pas jalouse,
        Ni contre lui je ne m'irrite.
Mais m'humilier aux yeux de toutes les déesses,
C'est montrer que la flamme de son sang
De mon amour insatisfaite, se ravale
Au niveau des mortels, tourbe de l'univers.

IRIS

Cléanthis est je crois l'épouse de Sosie.
Ils doivent donc quitter de Thèbes le palais
Peut-être afin qu'Alcmène y reste abandonnée
Et que la confusion règnant sur son esprit
De nouveau permette à l'amant de l'approcher
Et de commettre encor sa non-divine fraude.

JUNON

Assez ! rien qu'à parler tu détruis mon bonheur.
Ce misérable serait-il donc aussi veule ?

IRIS

Un conseil, permets-tu ? Si tu m'autorisais
À me rendre dans la maison d'Amphitryon,
Me déguisant en sa servante Cléanthis,
        Et allèguant pressentiments et songes,
        J'escorterais hors du palais Alcmène,
La menant quelque part loin de sa chère Thèbes,
En lieu sûr, à l'abri de toute trahison,
Et des pièges que Jupiter pourrait lui tendre.
Si Jupiter se rend bien en effet à Thèbes,
Il trouvera proie envolée et cage vide.
        Peut-être alors la honte et la tristesse
Te le ramèneront comme un amant fidèle.

JUNON

Non, je ne puis le croire à trahir encor prêt,
Et crains presque de l'irriter dans sa pudeur.
Il vient, et Mercure avec lui. Si ton conseil
Mérite exécution... à lui d'en décider !

(Jupiter et Mercure entrent.)

JUPITER

Ah ! Mon épouse, enfin !

JUNON, *à Iris.*
Quel appel plein de flamme !

JUPITER

Je me hâte vers toi !

JUNON, *à part.*
Quelle hâte suspecte !

JUPITER, *solennel.*

Pour les Heures commence une nouvelle ronde ;
De l'année à nouveau le cours est révolu.
Je ferai ce que l'an passé j'avais promis
À ceux qui de ma main tiennent amour et vie.
Voici que vient la nuit où j'ai promis d'aller
Sur terre visiter la race des mortels.
De toutes leurs douleurs me parvient maint écho ;
Je leur apparaîtrai revêtu de ma gloire.

JUNON

C'est pour cela qu'un homme est venu sur l'Olympe ?

JUPITER, *à Mercure, sur un ton de reproche.*
Un mouchard espionnait donc encore à ma porte !
(À Junon.)
En effet, mon épouse. Un messager m'a peint
De mes hommes la peine, implorant mon secours.
Je n'ai pas résisté...

IRIS, *à part.*

Horreur ! Comme il la trompe !

JUPITER

.... Et j'ai promis que cette nuit je descendrai.

(Cérémonieusement.)

Un chêne m'est sacré, qui murmure à Dodone ;
Là mon vol gagnera mon autel révéré.
J'apparaîtrai, le foudre en main...

MERCURE, *à part.*

Il s'y connaît !

JUPITER

Et bénirai la race à nos bienfaits soumise.
Voilà pourquoi, Junon, il me faut te quitter.
Car quand l'amour entre en conflit avec mon règne,
Las, plus de sentiment.

MERCURE, *à part.*

Je n'en puis plus de rire.

JUPITER

L'éclat des rois, c'est la justice pour le peuple.

JUNON

Protège tes sujets ; de même mon Iris
Veut étendre pour moi ses bontés sur tes hommes.
Toi, fais de tes mortels des héros aux combats,
Moi, je serai pour eux une mère attentive.

(À Iris.)

J'accepte ton projet. Descends, chère compagne,
Va, répands sur leurs maux tes consolations.
Pour que celui qui, terrifiant, troublait leurs rêves,
        Soit leur sauveur et leur paraisse un père.

(À Jupiter.)

Je comprends clairement ta grande œuvre, ô Seigneur.
Chez les hommes, vas-y. Descends, nimbé de gloire,

81

Pour que sur les autels l'odeur des sacrifices
S'élève vers l'Olympe en actions de grâce.

JUPITER

Bien, Madame, je pars pour me manifester,
Et que soit reconnu de tous le dieu céleste.

MERCURE, *à part.*

Lancé dans le pathos, le voici donc poète!

JUPITER

Hormis tonnerre et foudre, il n'est pas de sublime.
(Magnifique.)
Dame mienne, salut. Je descends à Dodone.

IRIS, *à Junon.*

Oh, l'innocent propos! Maîtresse, quelle horreur!

JUNON, *simplement.*

Salut, ô mon époux! Je t'y retrouverai.
Le dieu propose, mais la déesse dispose!

(Jupiter, la mine aigre, offre son bras à Junon. Ils sortent.)

RIDEAU

SCÈNE II

Il commence à faire sombre. Devant le palais d'Amphitryon, Sosie, couché, dort.
Cléanthis sort du palais.

CLÉANTHIS

Où donc est mon mari? Sosie!
N'es-tu donc pas de garde?
(Elle aperçoit un corps à terre.)
Qui est là?
Pas moyen de chasser ces mendiants!

(Elle n'ose pas s'approcher.)
Holà, je dis ! Tout est ensorcelé
Devant chez nous comme dans le palais.
Cherchant peut-être une moitié pour faire un couple,
Le dieu reviendrait-il à Thèbes ?
Ah ! au secours ! il vient de soupirer.
Peut-être est-ce moi qu'il veut rendre mère,
Peut-être descend-il vers moi
Pour être père d'un héros.
Je ne comprends pas ma maîtresse
Qui se lamente ici sans cesse.
Moi je dirais... Miséricorde !
C'est mon mari, oui, c'est Sosie.
Quelle manigance est-ce encore,
Mais attends, je t'apprendrai, moi !
Tu devais bien monter la garde.
Quoi, dormir quand on est de garde !
Ton maître va te caresser l'échine,
Te peindre de belle couleur !
Tiens, voici que Monsieur s'étire.
Le sommeil l'a donc dessaoulé.

SOSIE
— Je me suis trouvé — Moi, j'ai vu —
J'ai rêvé. Oui, j'avais un songe.

CLÉANTHIS
Tu devrais plutôt avoir honte
Et ne pas t'en vanter ainsi.

SOSIE
Oui, c'est ça. J'y suis. J'ai trouvé.
Et voilà...
(Plaintivement.)
Tout redisparaît !

CLÉANTHIS

Il pourrait bien nous faire peur,
Assis là, geignant et grognant.
Lève-toi donc.

SOSIE

Attends encore
Et ne sois pas aussi mauvaise.
J'ai sauté de la poêle à frire dans le feu!
J'ai rêvé... Oui, je rêve encore...

CLÉANTHIS

Rêvé d'être battu, peut-être?
Ivrogne, soulard que tu es!

SOSIE

Je me tords la cervelle, et ne puis retrouver...
Attends, ne me bouscule pas,
Sinon je le perdrai. Ha! Ha!
Où étais-je? Dans un fossé?
Ou parmi des brigands? J'ai peur.
De partout accablé, tout tombe ici sur moi.
Je dois partir —

CLÉANTHIS, *effrayée.*

Il me plairait
Que soit de retour notre maître.

SOSIE, *claquant des dents.*

Je ne resterai pas ici
À garder seul cette demeure.
Là, regarde! Entends-tu ce bruit?
Là — les affreuses Euménides!
Les divinités du Destin!

(Il tombe à genoux.)

À l'aide, ô vertu de ma Cléanthis!
Je ne ferai pas le gardien.
Mon épouse, fuyons. Hésiter, c'est nous perdre.

Le destin, ah, l'implacable destin
Nous chasse loin de ce palais.

CLÉANTHIS
Ô cieux! au secours! il a la berlue!
Qui t'a ensorcelé? Quel démon t'a mordu?
(Sosie, veut l'entraîner.)
Ne pourrai-je me libérer de ces tenailles?
Va, lâche-moi. Es-tu devenu fou?

SOSIE, *la lâche.*
« Es-tu devenu fou» J'ai déjà entendu...
(Avec un pathos comique mais à voix assourdie, comme toute cette scène.)
Foudre céleste, détruis-moi
Si je ne me souviens où donc j'étais.
Et je ne me souviendrai pas. Fuyons
Loin de ces lieux.

CLÉANTHIS
Que rabâche-t-il donc?

SOSIE
Je vois le ciel tout flamboyant.

CLÉANTHIS
Nous n'abandonnons pas ici notre maîtresse.
Alcmène nous fut confiée.

SOSIE
Alcmène! Hélas, hélas, quel nom!
Ô quel son infernal!

CLÉANTHIS
Si l'on ne peut avec lui s'arranger —

SOSIE, *revient à un ton prosaïque.*
Ah! pas un mot. Peine perdue.
Viens avec moi sans discuter.
Nous verrons qui commande ici.

CLÉANTHIS

C'est ce rêve insensé qui l'a comme enragé.

SOSIE

Mon rêve m'apparaît bien clairement.
Tu vas aussi le connaître, chipie !

CLÉANTHIS

Si j'avais ici un bâton... !

SOSIE

J'ai rêvé : « Prends ta femme sur ton dos,
        Et prends tes jambes à ton cou.
        Que furieuse elle te griffe,
        Cours. Laisse-là vociférer. »

(Il l'emporte de force. De l'autre côté entre Iris sous la forme de Cléanthis.)

IRIS

Mercure a réussi. Combien de cris
Avant que l'esclave ait compris son affreux rêve !
L'heure est propice, et la maison sans serviteurs.
Soutenons donc le droit des faibles femmes.

(Alcmène sort du palais.)

IRIS, *à part.*

J'agirai maintenant comme une Cléanthis
Et guérirai ce cœur souffrant de nostalgie.
        Agissant au nom des déesses
        Des dieux je détruirai le piège.
Nous sommes toutes deux de même sexe
Et notre chagrin, c'est celui de cette femme.
Nous associer à elle est de notre intérêt.
        Homme ou dieu, ça ne vaut pas cher
        Pour ce qui est de la moralité.

ALCMÈNE, *à Iris, qu'elle prend pour Cléanthis.*

Ma Cléanthis, un bruit a rompu le silence —
Je me hâte vers toi dans ma frayeur extrême.

IRIS

Pardon, si je suis gaie. Un fou-rire m'a prise
Du valeureux Sosie en apprenant le rêve.

ALCMÈNE

Je te pardonne, va, mais ne puis être gaie.
Je n'entends que les pleurs. La tristesse m'étreint.
Le rire sonne triste à mon oreille;
Et je suis sourde au badinage autour de moi.
Je n'ose me fier à mes sens, doutant même
Des plus simples objets. La robe que je mets,
L'ai-je vraiment en main? Est-ce vraiment ma robe
Ou l'erreur d'un toucher par l'enfer abusé?
Suis-je moi, vraiment moi? Ma compagne, est-ce toi?
Ou bien quelque immortel, par vengeance ou par jeu
Prit-il tes traits?

IRIS

Je suis ta fidèle compagne.

ALCMÈNE

Sais-je, ma Cléanthis, qui se cache chez moi?
Chaque recoin, chaque ombre est suspecte à mes yeux.
Puissé-je fuir ces lieux, et moi-même me fuir!
Pourquoi ma main, si lâche, hésite-t-elle encore
À plonger une épée en mon sein, si je hais
L'éclat du soleil ici-bas? Mais si cette ombre
Qu'alors je deviendrais, allait se souvenir
De mon crime innocent? Sans faute, mais coupable,
Ah, je voudrais gagner le pays de l'oubli.

IRIS

Âme souffrante, allons, je m'en vais t'y conduire.
Je sais un philtre; il effacera comme un songe
Le tourment infligé par la ruse du dieu.

ALCMÈNE

Étrange est le son de ta voix.

87

La consolation dans mon cœur s'est glissée
Quand j'ai senti ta main. Reste, reste avec moi.
Une déesse aura pitié de moi, peut-être.
Me voici plus tranquille. Ayant connu la haine
De ces divinités, verrai-je leur bonté?

IRIS

Que ta douleur te quitte avec tes pleurs. Espère.
Ne rentre pas à la maison. Viens avec moi.
Jusqu'au retour de notre maître
Tu pourras demeurer chez mes parents.

(Junon, sous la forme d'Alcmène, entre sans être vue.)

ALCMÈNE

Ne crois pas qu'il pourrait demain soir revenir.
Pardonnerait-il donc à son épouse
Infidélité, tromperie et trahison?
Mon mari au palais thébain ne viendra plus.
C'est par seule bonté qu'il ne m'en a chassée;
Se jetant par tristesse en de nouveaux combats,
C'est par fierté qu'il a choisi la mort
Plutôt qu'avec autrui partager son amour.

IRIS

Quitter ces lieux s'impose donc. Si ton seigneur
Préparait quelque trahison? Ah, le temps passe.
Je ne veux t'effrayer, mais réfléchis, maîtresse.

ALCMÈNE

Mène-moi loin d'ici. Où tu veux. Je te suis.
Ah, loin d'ici. Fuyons ces murs sinistres.
Demeure témoin de ma honte, adieu.

IRIS

Partons. Donne ta main. Mais tout ton être tremble!

ALCMÈNE, *l'esprit troublé.*

Tu n'es pas Cléanthis...?

JUNON, *cachée.*

Moi qui pour cette race
N'avais que du mépris !

ALCMÈNE, *à Iris.*

Ma compagne, est-ce toi ?

JUNON, *à part.*

J'ignorais leurs chagrins...

ALCMÈNE, *à Iris.*

... Est-ce toi, Cléanthis ?

IRIS

C'est moi, maîtresse, moi, qui verse la rosée
Dans les cœurs torturés ; qui conduis au bonheur
    Ceux qui ne veulent plus croire au soleil ;
Moi qui tends dans la nue un pont vers l'espérance...

(Elle emmène Alcmène, qui se blottit contre elle.)

JUNON, *sous la forme d'Alcmène, s'avance.*

Mon traître d'époux, cruel imposteur,
L'homme est ton protégé ; mais la peine des femmes... ?
Absolu souverain, de tes désirs esclave,
Entendis-tu jamais le soupir des mortels ?
Tu devrais à ton tour souffrir la trahison !
Pour te punir moi-même aurais-je assez de force ?
C'est trop peu me venger, si je n'éteins ta flamme.
Dans ce palais je veux te prendre sur le fait.
Et me convaincre, moi, du piège ensorcelé
Tendu à la vertu de cette pauvre femme.
Je te devance, et veux, face à face avec toi,
Faire l'épreuve de ma ruse, et me venger.

(Elle monte les marches du palais.)

Ton épouse affligée a pris les traits d'Alcmène
Pour t'attendre. Ah ! que vaine puisse être l'attente !
Qu'au moins maintenant soient mes craintes démenties.
Que j'ignore comment un dieu traite un mortel !

(Elle entre. Silence. Puis, cris derrière la scène : Amphitryon chasse devant lui Sosie. Derrière eux, Cléanthis.)

AMPHITRYON

Quoi, misérable esclave, ai-je pas exigé
Que tu restes ici planté comme chandelle?

SOSIE, *pleurant.*

Il me semblait que... J'ai rêvé...

AMPHITRYON

Ta cervelle à demi pourrie
A dû se ramollir.
Et qui m'assure maintenant que de nouveau
Un hôte n'est venu sans y être invité?

SOSIE

C'était un rêve terrible.

AMPHITRYON

Il me semble
Qu'il a bien oublié déjà cette rossée...
(À Sosie.)
Qui t'a permis de rêver en plein jour?

SOSIE

Moi, seigneur, je n'y suis pour rien.

AMPHITRYON

Ah, voilà de bons serviteurs,
Connaissant vraiment bien leur tâche!

CLÉANTHIS

Ô seigneur, les dieux soient loués
Que chez nous si tôt tu reviennes!
J'étais, moi, au-dedans. Et puis je suis restée
Ici près de lui, et je jure
Que personne au palais n'entra
Sauf moi, et lui, et ton épouse.

AMPHITRYON, *à Sosie.*

Va-t-en loin de mes yeux, disparais, traître.

SOSIE

Je voudrais de mon rêve...

CLÉANTHIS

Allons, va donc.

(Sosie et Cléanthis s'en vont.)

AMPHITRYON

Je respire plus librement. Enfin rentré!
Personne n'a franchi, peut-être, notre seuil?

(Il frappe à la porte.)

Holà, vite, ouvre-moi. Mon Alcmène, ouvre vite.
Mais pourquoi ne vient-on? J'avais raison de craindre.
Comme mon poing, mon cœur bat à coups redoublés.
Enfin, il était temps! Tu m'as ouvert.
Personne n'est venu? Les murs ont des oreilles.
Approche-toi. Personne au palais n'est entré?

JUNON

Personne, que je sache.

AMPHITRYON, *à part.*

Il ne me paraît pas
Qu'elle mente. Sa voix est ferme.

JUNON

Je ne t'attendais pas si tôt.

AMPHITRYON

Moi non plus. Enfin de retour!

JUNON, *à part.*

Qui croirait que le roi de l'empire céleste
S'est revêtu d'un si bon masque?
Qui dans l'homme pourrait deviner Jupiter?
On comprend qu'il ait pu tromper Alcmène ainsi!

AMPHITRYON, *à part.*

Dois-je lui avouer que je mourais de crainte ?
Dois-je lui avouer combien je l'aime ?
Si je ne l'avais pas vécu moi-même
Je traiterais de racontar
Que jamais dieu ait pu tromper mortel.

(À haute voix.)

J'arrive plus tôt que prévu, ma Dame,
Avant sans doute ton attente.

JUNON, *à part.*

Que dirai-je à celà ?

(À haute voix.)

J'attends sans cesse.

AMPHITRYON

Et peu s'en est fallu qu'en vain tu ne m'attendes.

JUNON, *à part.*

À cause du voyage inventé, à Dodone.

AMPHITRYON

Mais avant d'être au but j'ai rebroussé chemin.

JUNON

Comment ? Donc, tout de même...

AMPHITRYON

Au-dessus de la loi,
Au-dessus des serments, il est un but unique.
Il est ici, auprès de toi, ma chère épouse.
Ne fais pas de façons. Ici j'arrive en hâte.

JUNON, *à part.*

Ah, comme mon époux a bien appris son rôle !
Il prend d'assaut les forteresses.

(À haute voix.)

Sois donc le bienvenu.

AMPHITRYON

Ce « bienvenu » est froid !
Dis-le non par des mots, mais bien par des baisers.

JUNON, *à part.*

Dans l'abord, quelle ardeur ! Quelle soif dans son corps !

(À haute voix.)

Quand repartiras-tu pour accomplir ta tâche ?

AMPHITRYON

Ne fuis pas. Nous vivions comme des étrangers
Et dans le désespoir pendant ces quelques jours.
Je puis voir maintenant plus clairement
Du dieu la tromperie,
Et l'amertume dans mon cœur cède à l'amour.

JUNON, *à part.*

Qu'il est donc généreux ! Se pardonner soi-même !

(À haute voix.)

Contre moi, mon Seigneur, tu n'es donc plus fâché ?

(À part.)

Mes sanglots déjà sont humains.

AMPHITRYON

Voici mes mains.
Soyons réconciliés. De ta mémoire efface
Le coup qui nous frappa comme la foudre,
L'ombre qui s'abattit, lourde, sur notre route.
Je t'ai fait tort, pardon. En mal se sont changés
De mon amour le souffle, et mes mots, et mes actes.

JUNON, *à part.*

L'impudence ! Voici qu'un discours ambigu
Va nous déguiser son crime en vertu !

AMPHITRYON

Mes mots de repentir ne te convaincront pas ?
Pourquoi ne parles-tu ? J'ai souffert, moi aussi.

JUNON, *à part.*

Tout de même, combien, ici, de flatterie!
Moi-même j'en serais presque confuse.
Si je n'étais Junon, je ne reconnaîtrais
En lui ni l'imposteur, ni même l'Olympien.

AMPHITRYON

J'ai maintenant compris. Quand je quittais furieux
La maison, pour avoir sur le butin ma part...

JUNON, *à part.*

Ceci paraît assez peu vraisemblable
Il devrait s'expliquer plus clairement.

AMPHITRYON

Tu dis...?

JUNON

Mais quelle part, dis-moi,
De quel butin?

AMPHITRYON

Rêveuse, as-tu donc oublié,
À midi ne m'as-tu toi-même accompagné
Jusqu'au seuil?

JUNON, *pour elle-même.*

Ah, c'est bien ce que disait Sosie.

AMPHITRYON

À ce vil serviteur, je casserai les os.
Bien sûr, il était avec nous.

JUNON, *à part.*

Pour le remercier il lui fait des reproches!
Ah, c'est mon Jupiter, je le connais bien là!

AMPHITRYON

Sosie a comme toi, ma chère âme, entendu —

94

Il est sûr qu'il ne m'a du moins pas reconnue.

AMPHITRYON
— Que je vais à la ville où mes efforts m'appellent
    Pour m'assurer de ma part de butin.
Mais avant d'arriver à la ville conquise
Où m'attendait une couronne de laurier
    Une langueur me ramenait vers toi.
« Si vers elle je ne reviens, je périrai »,
Murmurais-je. Et criant : « À quoi bon ce butin
Si j'ignore qui peut s'introduire au logis ?
Je veux que de ses mains me vienne le laurier.
Ma victoire, sera son baiser sur mes lèvres. »
Ce qui fut, n'est plus rien. J'ai seulement rêvé
En me croyant trompé par l'un des Olympiens.
Torturé seulement par mon désir trahi
Je fus cruel, mais me voici de nouveau tien.

JUNON, *sérieusement.*
Je voudrais aussi, moi, dire qu'il n'est pas vrai
    Qu'un Olympien m'a tenue en ses bras
Et qu'autour de son cou le souverain des cieux
    A mis mes blanches mains.

AMPHITRYON, *blessé.*
Non, ne m'en parle plus.

JUNON, *à part.*
                 Ferais-tu le jaloux ?
(À haute voix.)
C'est pourtant vrai, hélas, il a baisé mes lèvres.

AMPHITRYON
Comme vers une jeune fille
Je me précipitais, Alcmène, à la maison.

Et voici qu'à nouveau tu plonges dans mon cœur
Le dard dont le seul souvenir me point.

JUNON

Pourtant...

(À part.)
S'il ne devine maintenant pas tout,
Du moins se souviendra-t-il bien de sa Junon.

(À haute voix.)
Pourquoi donc, d'une voix tremblante, discuter
La trahison où j'ai cédé dans ma folie?
Mais sais-tu qui je suis? Ne puis-je être quelqu'un
Venu te prendre sur le fait?

AMPHITRYON

Me prendre sur le fait, moi?

JUNON

Je t'ai reconnu.
Oui, dès l'abord. Amphitryon, toi? Tiens, vraiment!
Son regard redevient tout innocent et saint
Ainsi que sur l'Olympe.... Est-ce lui? Non? Ou bien
Me serais-je trompée?

AMPHITRYON

Allons! Sur moi, trompée?

JUNON

Omniprésent, qui donc es-tu?

AMPHITRYON
(Il veut la prendre dans ses bras.)

Ah, c'est assez!

JUNON, *lui échappe.*
Ma question t'a déplu
Et tu veux détourner mon attention.
Je connais trop bien tes étreintes :
Elles cachent toujours ta mauvaise conscience.

96

Assez de faux-fuyants. Allons, plus de mensonges.
Je t'ai bien deviné.

                    Notre maison
Ne doit-elle abriter que fraude et quiproquos ?
Je suis homme trop simple pour tes ruses.
Avec les femmes je n'engage autres combats
                Que ceux-ci.
        (Il l'attire à lui et baise ses lèvres.)
                        Tiens-toi le pour dit.
Un guerrier ne saurait comprendre tes discours
Et tes plaisanteries ne sont pas pour un homme,
Qui ne convaincra pas de son amour la femme
            Tant qu'il n'aura vaincu ses lèvres.
            (Il l'embrasse de nouveau.)

Ah ! jamais de ta part de tels baisers...

                    C'est vrai !
Jamais mari n'en donna de tels à sa femme.
C'est le prix du malheur, de l'infidélité ;
    Tout ce temps je craignais de te toucher.
Le chagrin m'écrasait ; il éclate en ce cri :
        Je t'aime, Alcmène !

            Ah !

                Oui,
La douleur doit avoir sa compensation,
Qui fut causée à moi, à toi, et à nous deux,
        Toi innocente, immaculée —

JUNON

Jamais de tels baisers —

AMPHITRYON

Ô douces et brûlantes,
Incomparables lèvres d'une épouse
Vous ne m'avez jamais ainsi baisé.
Jamais je n'ai connu de plaisir si céleste.
Votre volupté, divines, mignonnes,
C'est le nectar au paradis.

JUNON, *plus faiblement.*

Qui que tu sois,
Toi qui me baises, penche-toi vers moi,
Et que ma lèvre soit sur ta lèvre muette.

AMPHITRYON

Ô bonheur sans égal !

JUNON

Ô terre heureuse —
Si l'on aime ainsi sur la terre !

AMPHITRYON

S'il est dans notre amour tant de bonheur
Pourquoi ne s'est-il pas jusqu'ici révélé ?

JUNON

Ô vous race des bienheureux !

AMPHITRYON

Épouse chère,
Je te ferai connaître encor plus de bonheur !

(Il la mène dans le palais. Entre Cléanthis menant Sosie.)

CLÉANTHIS

Voilà qu'ils nous ont échappé dans le palais.
Ils sont rabibochés.
Mais hélas, notre renommée...
Tu mériterais bien ma main sur ta figure.

Fais à ta guise. Moi, ce n'est pas mon affaire.
        Tu peux réfléchir sur tes songes.
Couché dans un fossé, dans un trou... Peu m'importe.
        Tu ne réponds pas? Ce galimatias
                Occupe toujours ta cervelle?
                Plante-toi là comme chandelle
        Et restes-y jusques au point du jour.
        Que le seigneur en sortant s'aperçoive
Comme tu sais désormais bien veiller sur lui.
        Et comme son palais est bien gardé.
                Mais vas-tu donc te tenir droit?
                Ou dois-je prendre ici ton poste
                Et monter la garde à ta place?
                Mais que fais-tu? Oh, juste ciel,
        N'as-tu pas fini de te souvenir?
        On n'a guère besoin de nous ici;
                Qui viendra donc ici de nuit?
                Mais qu'au moins tous à Thèbes voient
                En nous des esclaves fidèles.
        Et bien que dans la flamme de l'amour
Le seigneur et la dame soient allés au lit,
                Nous surveillons ici pour que
                Personne n'aille la lui prendre.
                (Entre Jupiter sous la forme d'Amphitryon.)

                    JUPITER, *à part.*
Les esclaves ici? Holà, vous sans délai,
Le maître est de retour, prévenez-en Alcmède.

                    CLÉANTHIS
        Mais c'est un étranger!
                (À Jupiter.)
                                Nos maîtres
Dans un heureux sommeil ensemble sont plongés.

Amphitryon ici?

Ma femme n'est pas prête
À m'accueillir?

(À Sosie.)
Pourquoi donc tituber ainsi?

SOSIE
C'est la voix, c'est la figure de notre maître.
Hélas, maintenant tout est clair.
(À genoux.)
Il est revenu, ton divin rival.
Mon maître, je te reconnais.
Aujourd'hui de sa propre main il m'a rossé
Et maintenant avec ta femme il est couché.

JUPITER, *à part.*
Je n'ai plus qu'à rosser à mon tour ce bavard...
Du calme... Il n'aurait pas fallu que je renonce
À mes privilèges divins.
Un dieu même sous forme humaine
Doit être omniscient.
Devenir tout à fait homme était une erreur.
Vous, vils mortels, je pourrais vous détruire.
Loin de mes yeux!
— Je peux le chasser du logis...
(Sosie et Cléanthis se cachent.)
Réfléchissons. Pourvu que ne soient pas trahies
Mes terrestres ardeurs à ma jalouse épouse!
Ai-je dans mon désir intense été trop prompt?
Quelque espion, et la hâte, auraient-ils tout gâté?
Ô Mercure, mon fils, Mercure, ah! quel gâchis!
Descends sur terre, je l'ordonne, et viens ici.

MERCURE, *sous sa véritable apparence.*

Présent, Seigneur!

JUPITER

Mon œil peut-être est moins perçant
D'avoir revêtu la faiblesse humaine.

MERCURE

À ton service. Ordonne.

JUPITER

Aide et conseille-moi.

Sais-tu qu'avec Alcmène...

MERCURE

Un dieu effraie un dieu

Pour cette seule Alcmène?

JUPITER

Eh, seule elle n'est pas!
Dans le palais son vrai mari dort avec elle.

MERCURE

S'il est là, pars.

JUPITER

Comment, le bonheur sous la main,

Je le lâcherais?

MERCURE

Oui.

JUPITER

Quoi, moi?

MERCURE

Viens avec moi.

JUPITER

C'est là tout ton conseil?

MERCURE, *le doigt levé.*

Seigneur, gare à Junon!

JUPITER

Dix fois tu me l'as dit!

MERCURE

La hâte est dangereuse.

JUPITER

Rester dehors pendant qu'un vil individu
Me prend ses bras, ses seins, son... bref, son corps de neige!
Non. Je suis dieu, Mercure, et si j'ai de plein gré
Renoncé sur la terre à mon omnipotence,
Suffit-il à des dieux que les gens soient heureux
Quand fait irruption en leur temple un sacrilège?
Je vais les séparer.

(Se tournant vers la maison.)

Debout, Amphitryon!
Qu'un méfiant soupçon te chasse de ton lit;
Et toi, souviens-toi donc, compagne de sa couche,
De la nuit où ton dieu te tenait dans ses bras.
Que les portes s'ouvrant accueillent mon bonheur;
Que parte le Thébain pour de nouveaux combats.
Et toi, femme, sois prête à recevoir ton dieu.
Mercure, écartons-nous; j'entends déjà sa voix.

(Jupiter et Mercure s'écartent. Amphitryon et Junon sortent du palais.)

AMPHITRYON

Alcmène, je m'en vais.

MERCURE, *à part.*

Ah! nouvelle querelle!

JUNON

Reste, Amphitryon. Je t'ai tout donné.

AMPHITRYON

Alcmène, en ton amour je ne crois pas vraiment.

JUNON

Je t'aime, Amphitryon! Autant que Jupiter!

AMPHITRYON

Envers qui tu t'es montrée aussi généreuse
Qu'envers moi. Maintenant tu t'en souviens encore.
C'est Jupiter à qui s'adressaient tes baisers.
Tu n'embrasses pas ton mari, mais bien le dieu.
Je comprends maintenant.

JUNON

Tu peux cesser ton jeu.
J'ai senti quelle volupté tu peux donner.
Je vins, c'est vrai, pour te punir; mais à mon piège
Je me suis prise. Un instant même, mon époux,
J'hésitais même si ne m'approchait
Un habitant des sphères inférieures...
Honteux, mais passager, manque de foi...
Qui peut aimer autant que toi? Seul Jupiter!
Le poids de ma tristesse et de ma jalousie
N'ont pas pu résister à ton amour vainqueur.
Je venais pour punir, c'est moi qui suis punie.
À qui donne de tels baisers tout est permis.

AMPHITRYON

Infidèle, qu'oses-tu dire?
Si bassement chez moi m'insulte mon épouse!
Voyez cette traîtresse! Ah, voyez cette Alcmène!

JUNON, *effrayée.*

Je ne suis pas Alcmène... Oui, je suis ta Junon!

(Entre-temps Jupiter, retenu par Mercure, a voulu se jeter sur Amphitryon.)

JUPITER

Que je le pulvérise!

AMPHITRYON

Apportez des flambeaux!
Baiser une déesse! Ô volupté divine!

JUPITER, *à Mercure.*

Le coupable, c'est toi.

MERCURE

Voyons, pas en public !
N'ébruitons rien. Qui pour autrui prépare un piège...

AMPHITRYON, *s'agenouille devant Junon.*

Ô sérénissime, ô sublime épouse
De Jupiter, j'irai rendre grâce aux autels
De ce bonheur.

JUPITER, *à Mercure.*

L'individu me remercie !

MERCURE, *à Jupiter.*

C'est l'accomplissement de ta sentence :
Souviens-toi : « Jalousie est le vice des vices ».

JUNON, *aperçoit Jupiter.*

Quoi ! Deux Amphitryons ? Lequel est mon mari ?

MERCURE, *sauve la situation.*

Ton époux est omnipotent.
Sous double apparence il existe. Omniprésent
Son nom, omnivoyant. Il est ici, et là.

JUNON

Mais les baisers ? C'était lequel ? Hélas...

(À Jupiter, à voix basse.)

Je te pardonne, mon époux.

JUPITER, *désespéré, à Mercure.*

Quoi, tu l'entends ?
Elle pardonne ! À moi ! Voilà bien une femme !

JUNON

Je ne connaissais pas ta terre, et je comprends...

MERCURE, *à Jupiter.*

Tu voulais, n'est-ce pas, que de ton escapade

104

Ton épouse ne fût en rien scandalisée ?
J'ai respecté tes ordres.

(Jupiter emmène Junon.)

MERCURE, *embarrassé, toussote. Puis, à Amphitryon.*

Mortel de haut mérite et de noble héroïsme,
Sur l'Olympe à la cour t'attend ta récompense.
Mon seigneur te pardonne tout, si tu te tais.

(Avec un geste plein de signification.)

Dans tes bras, cette nuit, hein, c'était bien Alcmène ?

AMPHITRYON, *s'inclinant.*

Nul besoin de me dire ici ce qu'il faut faire,
Ni ce qu'un chevalier doit au respect des dames.
J'ai eu ma récompense. Et pour l'autre, merci !
Votre promotion, je la refuse.

SOSIE, *s'approche avec Cléanthis.*

Tout ce qui s'est passé, je viens de le comprendre.
Voici qu'enfin je me souviens
De ce dont j'ai tantôt rêvé.
Venu je ne sais où, j'ai vu... je ne sais quoi.
Mais il me reste une impression, et la voici :

(À Mercure.)

Ce qui arrive à nous, peut arriver à vous ;
Et c'est toujours chose fâcheuse.

(Aux spectateurs.)

Allons tranquillement dormir, nous autres hommes.

(À Mercure.)

Quant à vous, dieux, voici mon sentiment :
Sur telles affaires, toujours,
Le meilleur est de ne rien dire.

RIDEAU

105

TABLE

Cette livraison des « Archives des lettres modernes » n° 258 est
une refonte de la livraison n° 35 (1961) à laquelle elle se substitue ; elle comporte la reproduction à l'identique (à une correction
près) des extraits de l'*Amphitryon* de Kleist (aux pages 9 à 41) et
est augmentée du chapitre consacré à Otokar Fischer.

ARCHIVES DES LETTRES MODERNES

études de critique et d'histoire littéraire
collection fondée en 1957 par Michel MINARD

*

Cette collection n'est pas périodique mais on peut souscrire des abonnements
aux cahiers **à paraître** (sans effet rétroactif)
regroupés en livraisons d'un nombre variable de pages, donc de cahiers.

(tarif valable d'octobre 1993 à septembre 1994)

60 cahiers **à paraître** : FRANCE - ÉTRANGER : **590 F**

+ frais de port

suivant zones postales et tarifs en vigueur à la date de facturation

France : **76 F**   Étranger zone 1 (Europe, Algérie, Tunisie, Maroc) : **42 F**
zone 2 (autres pays) : **69 F** en août 1993

les souscriptions ne sont pas annuelles et ne finissent pas à date fixe

———————— **services administratifs et commerciaux** ————————

MINARD — 45, rue de Saint-André — 14123 Fleury-sur-Orne

la livraison n° 258 de la collection

ARCHIVES DES LETTRES MODERNES
ISSN 0003-9675

a été servie aux souscripteurs abonnés
au titre des cahiers 453–462

Jacques VOISINE

trois *Amphitryon*
(Kleist, Henzen, Giraudoux)
... et un *Jupiter*
(Otokar Fischer)

ISBN 2-256-90451-2 (10/93)
MINARD 95 F (10/93)

exemplaire conforme au Dépôt légal d'octobre 1993
bonne fin de production en France
Minard 45 rue de Saint-André 14123 Fleury-sur-Orne

ce volume, édité par l'Association Éditorat des Lettres Modernes,
a été publié par la Société Lettres Modernes
67, rue du Cardinal-Lemoine, 75005 PARIS — Tél. : (1) 43 54 46 09